图书策划：扬州中国雕版印刷博物馆

中国古代印刷图志

徐忆农/著

作为中国四大发明之一的印刷术，对人类文明的发展产生了巨大影响，而且这种影响一直延续到今天。

中国早期的印刷术是将图文刻在一整块木板或其他质料的板上，制成版，然后在版上加墨印刷，称为雕版印刷术，这种印刷术至少在隋唐时代已出现。

到了十一世纪北宋庆历年间，有一位叫毕昇的人发明了活字印刷术。

广陵书社

图书在版编目（CIP）数据

中国古代印刷图志/徐忆农著.—扬州:广陵书社,2006.5
ISBN 7-80694-154-1

Ⅰ.中... Ⅱ.徐... Ⅲ.印刷史—中国—古代—图集
Ⅳ.TS8-092

中国版本图书馆 CIP 数据核字（2006）第 046523 号

中国古代印刷图志

主　　编　徐忆农
责任编辑　马　琳
出版发行　广陵书社
　　　　　扬州市文昌西路双博馆附二楼　邮编　225012
　　　　　http://www.yzglpub.com　　E-mail　glss@yztoday.com
印　　刷　扬州鑫华印刷有限公司
　　　　　扬州市江阳工业园蜀冈西路 9 号　邮编　225008
开　　本　787×1092毫米　1/16
印　　张　10
印　　数　4000
版　　次　2006 年 5 月第 1 版第 1 次印刷
标准书号　ISBN 7-80694-154-1/K·75
定　　价　25.00 元

（广陵书社版图书如印装错误可与出版社联系调换）

目　录

概　说

　　图书是记录和传播知识的工具，是人类物质生活及文化生活赖以进步的重要手段。而作为中国四大发明之一的印刷术，则是图书的一种重要生产技术，具体来说，它是把图文转移到载体之上的复制技术。在印刷术产生之前，图书主要采用的是以抄写为手段的复制方式，费时费力，复本稀少，很难满足人们阅读的需要。印刷术发明后，图书能够比较容易印刷出许多复本，并得以广泛传播和长久保存，进而使知识得到普及。因此可以说，印刷术的发明，对人类文明的发展产生了巨大影响，而且这种影响一直延续到今天。

　　中国早期的印刷是将图文刻在一整块木板或其他质料的板上，制成版，然后在版上加墨印刷，称为雕版印刷，也叫整版印刷，这种印刷术至少在中国隋唐时代就已出现，但由于没有明确文字记载，具体发明的时间至今没有定论。由于雕版印刷术每印一页书就要雕造一块书版，造成人力物力浪费很大，于是到了十一世纪北宋庆历年间（1041—1048），有一位叫毕昇的人就发明了活字印刷术，这种印刷术，一开始是预先制成单个活字，然后按照付印的稿件，拣出所需要的字，排成一版而直接印刷；后来，活字也被用来制成整版（如泥版或以纸型浇铸铅版）再进行印刷。无论如何，一书印完之后，单字可反复用来排其他的书版。早期雕版与活字印刷品的书叶均以单色印制而成，至少在十二世纪中国已出现了单版复色印刷品，而到了十七世纪上半叶，套版复色印刷术已达到非常成熟的水平，出现了"饾版"、"拱花"技术印制的精美艺术品。

　　无论是雕版印刷，还是活字印刷、套色印刷，都是首先在中国发明的，有大量历史文献和考古实物资料都能证明这一点。

　　从现在发现的文献记录与印刷实物看，雕版印刷术在八世纪，活字印刷术在十三世纪，套色印刷术从十六世纪起，陆续传到日本、高丽、越南等邻邦。当毕昇发明活字400年后，德国的谷登堡（约1394—1468）制造了铅合金活字，并印刷了《四十二行圣经》等书籍，与此同时，套色印刷术也传入西方。在此之前，公元1150年中国造纸术由穆斯林传入欧洲，公元1380年左右，雕版印刷的宗教版画在德国出现，为欧洲最早的雕版印刷物，因而德国谷登堡的活字与中国活字究竟有怎样的关系,目前虽还没有明确的结论,但不能说毫无牵连。活字印刷术出现于欧洲后,很快成为生产图书的主流印刷方式,并形成了庞大的印刷工业,推动欧洲摆脱中世纪教会黑暗统治,成为世界现代化的发祥地,因而有"文明之母"之称。从十九世纪起,西方现代铅活字印刷术、石印术等传入东方,中国传统的手工雕版、活字与套色印刷术虽与之并行一段时期,但由于技术落后,最终为之所取代。伴随着西方传进的现代机械印刷术,域外作品汉译本大量涌现,给中国带来了翻天覆地的变化。我们今天使用的汉民族共同语——普通话,既有别于传统文言,又不同于某种特定方言,就是因为在一定程度上受到异国语言的影响。除此以外,大到国家政治制度,小到普通人的生活方式与思想观念,今天与过去数千年也有着很大的不同。这一切的变化,当然要借助外力来实现,而域外思想家、科学家的著作,就是其中一支非常强大的力量。可以说培根、伽利略、牛顿、卢梭、达尔文、马克思等外邦智者,用文字对一个古老帝国历史进程产生的影响,不亚于千军万马。

在今天看来,活字印刷术明显比雕版印刷术先进许多,套色印刷术也明显受到各类读者的普遍欢迎。但直到西方现代印刷术传入之前,中国图书长期是以雕版印刷术为主,抄写为辅,而活字与套色印刷术在发明后的几百年中,虽时时有人运用并改进,可印出的书籍却很有限。据统计,在《中国古籍善本书目》中,收录从古至清末的图书达56787个编号,稿本、抄本共22167个编号,而各类印本34620个编号,其中活字印本仅340个左右编号,套色印本370个左右编号,除另有少量钤印本、拓印本外,其余基本上是刻本,即雕版印本。如果以此为据,平均计算,活字印本、套色印本在中国古籍各类印本中分别仅占1%左右。可能这是个较乐观的数字。因为《中国古籍善本书目》一个编号为一种版本,但如有批校题跋则另给编号,而且相对而言,对刻本要求较严,有许多清初的刻本,如果没有批校题跋就不收录,但如果是稿本、抄本、活字印本或套色印本等非雕版印本书籍,则尽量收全,哪怕是清末无批校题跋之本也多被收录,如子部著录国家图书馆藏清光绪二年(1876)北京聚珍堂活字印本《红楼梦》,此书实较为常见,有的图书馆就列入普本,说明《中国古籍善本书目》收录非雕版印本的要求极宽。当然,从目前研究成果看,我国古代的家谱有许多是以活字排印的,据张秀民先生统计,日本出版《宗谱の研究》著录1228种我国家谱中,612 种为木活字本,占总数的近 50%。同时,自宋元起,中国不少地区的民间年画采用木版套色印刷,数量难以统计。因此,除家谱、年画等特殊印刷品外,活字印本、套色印本在中国古籍中占的比例,或许不到 1%。

套色印刷工序复杂,成本较高,因而自发明后长期未能成为主流印刷方式。凝聚着中华民族智慧的活字印刷术,在中国古代出版史上长期扮演着辅助性角色,而自传入异域后,在外邦智者的努力下,成为人类最重要的传播知识与思想的手段之一,从而推动包括近现代中国在内的整个世界文明向前发展。那么,是什么原因造成这项伟大发明在其本土未被充分利用,而是"墙里开花墙外香",最终作为"他山之石"来对发明者的故乡产生巨大的影响呢?

分析原因,一方面可能是技术水平上存在一定问题,如雕版印刷所用水墨,基本不能用于金属活字印刷,油性墨虽已很早出现,但未普及,这就制约了活字材料的改进;再如,中国古代活字许多是用原生性木材镌刻而成,不如金属铸造活字生产效率高,阻碍了活字印刷向规模化方向发展。同时,汉字自产生数千年来,一直处于表意体系阶段,字数越来越多,汉代许慎(约58—约147)撰《说文解字》,连重文在内仅收字 10516 个,而当代《汉语大字典》收字 56000 个左右,这样多的文字,就是不造重复之字,其造字、拣字、归字、贮字也费时又费力。如果以完整过程看,传统活字印刷术也许并不如雕版印刷术方便快捷。然而,更深层的原因应该与社会需求有关,因为"需求是发明之母"。中国在纸和印刷术发明之前,已产生了孔子、老子、墨子等伟大的思想家。但从汉代以后,绝大多数统治者都把儒家学说当作治国之本,整个社会长期受其支配。通过科举考试踏上仕途是隋唐以后读书人的主要生存之道,而各级科举考试着重考查以儒家学说为基础的文史知识,因而这些著作需要重复印刷。但长期以来,活字印刷不能保留整版,常常是随时需要随时排印,对于经常有需求的图书,相比之下,可反复刷印的雕版要方便得多。据国外学者统计,在十五世纪末以前,中国抄写和印刷的书籍,超过了世界上所有其他国家加起来的总数,但其中显然有不少重复印刷的书籍。重复就意味着停滞,没有对新知识的渴望,也就没有对活字印刷术的需求。由于中国许多最优秀的人才将大量精力耗费在读经求功名上,其创造天性渐渐磨灭了。于是,当十九世纪西方"具有智力"的列强闯入的时候,主要靠科举入仕者掌管的国家就只能处于被动挨打的境地。在此国破家亡之际,儒家学说派不上用场,也来不及在本土上产生足以自强的新思想,域外强者的理论观念自然被吸纳进来。当各种新知识、新思想需要迅速传播时,西方铅印、石印等机械印刷术就体现出无比的优越性,取代了所有传统印刷术,成为近现代中国的主流印刷方式。

如今,无论是中国的雕版、活字、木版套色等传统印刷术,还是西方的铅印、石印等各类近代印刷术,均已逐步退出主流舞台,世界进入了电脑"冷排"居统治地位的新时代。

当中国传统的印刷术正在逐渐被人淡忘的时候,1960 年扬州成立了广陵古籍刻印社,承担古籍版片的征集、收藏、整理、保护等任务,并从事古籍的出版工作,后来该社更名为广陵书社,2002 年被国家正式批准为出版社。1996 年中国印刷博物馆在北京落成,2005 年扬州中国雕版印刷博物馆又正式对外开放。这些机构的设立,使中国古老的传统印刷工艺不致于湮没失传。带着对这些传统工艺的挚爱之情,我努力想用下面的文字和图片,对一千多年来中国的传统印刷术进行简略描述。这里只是根据所见所闻,并参阅中外相关著作,对目前已知的材料加以介绍。许多是前人的发现与发明,偶有一些自己的心得,不是作为结论,而是引发思考,以便于今天更多的人了解历史的真实,知道我们以前走过怎样的路,最终能以此为参考,对将来应该走的路有一个更清醒的认识。

上 编
中国传统印刷术的演进历程

中国是世界上发明印刷术最早的国家。历史上任何工艺技术的发明都不是偶然的,都要经过孕育、诞生、成长的发展过程,印刷术也不例外。现在比较通行的看法是中国的传统印刷术在公元六、七世纪之交的隋唐之际开始出现,但它并不是突然发明的,而是中华民族群体智慧的结晶。印刷术在诞生前,大约经历了百万年的漫长岁月,完成了文字的创造和规范,图书的积累,以及印刷材料、印刷工具、印刷技术等所必不可少的准备工作,为印刷术的发明和完善奠定了坚实的基础。继隋唐之际雕版印刷术出现之后,活字印刷术与套色印刷术在宋代又先后问世。这三种传统印刷术不仅直接在中国上千年政治、经济、文化的舞台上扮演相应角色,而且分别传播到东西方各国,从而对整个人类文明的历史进程产生深远影响。

第一章 萌芽时期(远古至南北朝)

从远古至南北朝,至今还无确切的证据可以证实印刷术的存在。但印刷术是图书生产技术之一,在印刷术发明以前,包括中国在内的一些文明古国,已有了上千年的图书发展与演变历史。图书从本质上说是记录有知识的著作物。构成图书的基本要素有四个:一、记录知识的各类符号,如图像(含图画、照片等)、文字等;二、记录知识的工具与材料,如刀、笔、墨、泥版、纸草、简牍、缣帛、羊皮、纸张等;三、记录知识的方式或手段,如雕刻、书写、铸造、印刷等,它们是知识与载体的联系方式;四、所记录的知识信息,即图书的内容。图书是人类社会发展到一定阶段的产物,由于相关的文化背景、技艺及物料的差异,造成不同地域、不同时代的图书从形式到内容各具特色。正是中国图书各要素所体现的诸多与众不同之处,才促成其新的生产技术——印刷术的诞生,说明印刷术的发明,是建筑在悠久而深厚的文化与物质基础之上的。

图 1-1-01 印度中部被称为"会堂"的洞穴

一、图画与文字

印刷术作为转印复制技术,其复制对象无非图像和文字两大类。人类文化,一般是先有图画,后有文字,而且文字本身也起源于图画,因此有必要理清图画与文字的发展脉络。

(一) 图画

人类最早的图画出现在旧石器时代。从目前的考古资料来看,凹穴和线形沟槽图案是旧石器时代岩刻画中最常见的主题。所谓"凹穴",是指岩刻画中以研磨法制作于岩石表面上的坑状杯形图案。凹穴岩画最早出现在旧石器时代早期的阿舍利文化(约100万—10万年前),这是一个世界性的岩画主题。目前被确认时代最早的凹穴岩画出现于印度中部被称为"会堂"的洞穴遗址〔图1-1-01〕。二十世纪九十年代初考古学家对这个洞穴进行发掘,发现十几个凹穴图案,其中两个凹穴上面直接迭压有文化层,出土有阿舍利文化的手斧与薄刃斧。这个洞穴阿舍利文化的碳—14年代为距今29万年,故考古学家确定这些凹穴为旧石器时代早期的艺术品。

据汤惠生先生研究,中国旧石器时代凹穴岩画的分布范围非常集中,绝大多数都位于东南沿海的福建、广东、台湾、香港以及澳门。福建是我国凹穴岩画分布最多的省份,如福建华安县的高安是

图 1-1-02　福建华安县高安凹穴图案

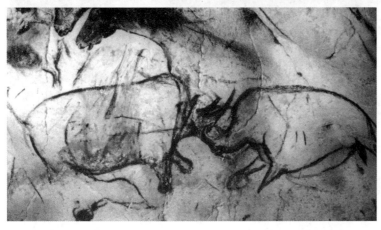

图 1-1-03　法国阿尔代什发现的"肖维洞穴壁画"

一个早期的凹穴岩画地点。高安镇一个叫浮山的山丘两侧各发现一幅凹穴岩画,其中一幅被称作"星宿图",共 11 个凹穴图案,制作在一块出露于地表 2 米见方岩石表面,各凹穴之间有沟槽相连,望之若星宿图[图 1-1-02],故名。

　　凹穴岩画在亚、欧、美、澳四大洲分布非常广泛,但它代表的是一个什么样的思想和文化体系,目前还未找到答案。因而一般学者认为世界上真正意义上的美术品产生于旧石器时代晚期奥瑞纳文化期(距今 3 万年)。考古发现欧洲旧石器时代的美术品主要集中于法国南部和西班牙北部。艺术成就主要表现在洞穴壁画、露天岩壁石雕及小型雕塑品。在法国阿尔代什发现的"肖维洞穴壁画"是目前已发现的最早的史前壁画之一,碳—14 年代距今 3.2 万—3.1万年[图 1-1-03]。发现最早的露天岩壁石雕是法国劳塞尔岩廊石壁浮雕《手持角杯的裸女》,距今 2.7—2.5 万年[图 1-1-04]。发现最早的雕像是奥地利威林道夫的《母神》,距今 2.7 万—2.5 万年。这些美术品的制作方法和艺术风格已经非常成熟。

图 1-1-04　法国劳塞尔岩廊石壁浮雕《手持角杯的裸女》

图 1-1-05　宁夏贺兰山岩画

图 1-1-06　丁头字泥版（约公元前 3000 年）

中国真正意义上的成熟岩画出现的年代目前仍在探索之中，有人说中国最早的成熟岩画为宁夏贺兰山岩画，距今大约有 2 万年的历史。但经过科学手段测定，为新石器时代晚期岩画，距今仅数千年［图 1-1-05］。

原始图画向两方面发展，一方面成为图画艺术，另一方面成为文字。

（二）文字

文字是记录和传播语言的书写符号系统，是扩大语言在时间和空间上交际功能的文化工具。而语言的出现是人类超越动物界的重要标志之一。周有光先生在《世界文字发展史》中说，人类语言可能开始于 300 万年前而成熟于 30 万年前。另据有关学者的研究，中国约从 170 万年前的元谋猿人开始有语言。

周有光先生认为，世界文字的历史可以分为原始文字、古典文字、字母文字三个时期。汉字至今还是表意体系的文字，仍处于古典文字时期。

世界上著名的古典文字有两河流域的丁头字、古埃及的圣书字、古印度的哈拉巴铭文和中国的汉字，它们代表着四种人类早期的伟大文明，可称为"四大古典文字"。

甲、两河流域丁头字

公元前 3500 年，居住在亚洲西部幼发拉底河与底格里斯河两河流域（也称美索不达米亚，在现在的伊拉克）的苏美尔人，创造了世界上最早的成熟文字——"丁头字"，因为这种文字是用芦苇杆、树枝等压写在软泥版上晒干或烤干而成的，笔画一头粗一头细，很早就发现这种文字的阿拉伯人给它起名为"丁头字"，后来欧洲人又称它为"楔形字"［图 1-1-06］。在公元初期，丁头字就失传了。直到十九世纪，西欧学者成功释读了古老的丁头字，从而打开了人类最古老的历史宝库。

乙、古埃及圣书字

公元前 3100 年，古埃及人创造了圣书字。古埃及文字有三种字体：碑铭体、僧侣体、人民体。碑铭体主要刻写在神庙墙壁、坟墓石碑和祭礼器物上，因此又称"圣书字"。广义的"圣书字"包括三种字体，是古埃及字的总称。古埃及最早的文字出现于公元前 3100 年石制"纳尔迈调色板"上。调色板上端中间两个象形字实为表音符号［图 1-1-07］。公元六世纪古埃及三种字体先后衰亡。1799 年，一个法国军官在埃及罗赛塔地区发现了一块刻有碑铭体、人民体和希腊文的石碑。学者们借助于这块碑成功地释读了古埃及文字，使得古埃及 3000 多年历史从深眠中苏醒过来。

图 1-1-07
纳尔迈调色板

丙、古印度哈拉巴铭文

公元前 2600 年，诞生了成熟的哈拉巴铭文，它是印度最古老的文字，主要通行于哈拉巴文明时期。大约在公元前 1800 年左右，这一文明突然神秘地消失了。十九世纪，在考古学家的努力下，哈拉巴文明重现于世，哈拉巴铭文也被不断发现，但至今尚未解读成功。哈拉巴铭文主要出现在滑石、赤陶、象牙、铜和金银制成的印章、护身符、书版等器

图 1-1-08 饰有独角兽的哈拉巴文字印章

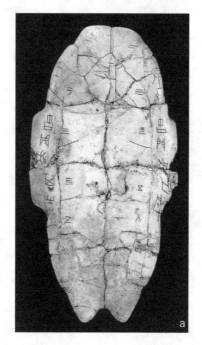

图 1-1-09 　a 刻有文字的龟甲　b 刻有文字的兽骨

物上,因而又称为印章文字。印章大多图文并茂,文字符号用直线
条组成,字体清晰[图 1-1-08]。

丁、中国汉字

　　公元前 1300 年,黄河流域出现的"甲骨文"[图 1-1-09],是
我们现在仍使用着的汉字之祖先。甲骨文虽长期在地下埋藏,但
1899 年重现于世时很快有一部分被中国学者辨识出来,体现出汉
字从古至今延续千年的优越性。汉字生长在纸和印刷术的故乡,也
许正是这一原因,使汉字获得了超乎寻常的生命活力。

　　·汉字的起源

　　关于汉字的起源,至今没有明确的定论。先秦有"仓颉造字"
的传说,如《吕氏春秋》云:"奚仲作车,仓颉作书。"但汉字存在许
多异体字,显然非一人、一地、一时所造。从现有的材料分析,汉字
与其他古典文字一样,是由原始文字发展而来的。在汉字产生之
前,汉族的祖先为了帮助记忆,除了以图画记事外,还采用过结绳、
契刻、刻符等记事方法[图 1-1-10]。

　　·汉字的构造

　　中国古代学者通过分析汉字构造及其使用情况,归纳出构成
汉字的六种体例,即通常人们所说的"六书":象形、指事、形声、会
意、转注、假借。

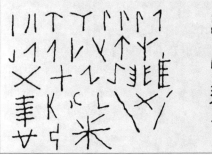

图 1-1-10　半坡村与
姜寨刻符

象形：指描摹事物形象的造字方法。如"日、月、山、水"等字，甲骨文就是模仿日、月、山、水之形书写并逐渐演化而来的。

指事：用标记符号指明具体含义所在的造字方法。如 "上" "下"二字，甲骨文是在一长横上加一短横表示"上"，一长横下加一短横表示"下"，短横用以指明事物的位置。

会意：两个以上字形组成新的字形，会合其含义组成一新字之义。如"莫（暮的古字）"字上下都是草，中间是太阳，表示日落草中，天黑了。

形声：形旁和声旁相结合，形旁表该字的本义所属的意义范畴，声旁表该字初造之时的读音。例如，"洹"字，以"水"为形，字义与水有关；而后半字的"亘"则与全字读音相近。

转注：声音相近、形旁相同、意义相同可以互训的字。本质上是"一词多字"。即所谓"老者考也，考者老也"。

假借：语言中有些词未专为其造字，而借用一个音同或音近的字来表示，此借用的字就是假借字。音同或音近，义无联系，本质上是"一字多词"。如借用当小麦讲的"来"字，作来往的"来"用。

"六书"中，涉及汉字结构的，只有象形、指事、形声、会意四种，被称为"造字之本"；转注、假借字在结构上没有超出四种范围，无法产生新的字形，被称为"用字之法"［图 1-1-11］。

·汉字形体的演变

汉字的形体经历了甲骨文、金文、篆书、隶书、楷书等阶段的演变，发展成为今天的简化汉字。

图 1-1-11
甲骨文构造例图
a-d 象形字
e-f 会意字
g 指事字
h 形声字
i 象形字 用为假借字

	1	2	3	4	5	6	7	8
a	人	女	子	口	鼻	目	（手）止（足）	
b	马	虎	犬	象	鹿	羊	鼍	龟
c	日	月	雨	（屯）申	山	水	禾	木
d	壶	瓦	弓	矢	丝	册	卜	兆
e	斗		猎		（兽）狩		乳	
f	暮		明		聿		史	
g	上		下					
h	疆	祀	虹	洹				
i	来							

图 1-1-12 西周大盂鼎铭文

甲骨文：殷商时期，国王遇有重要事情，都要占卜，方法是在龟甲或兽骨上钻凿凹槽，用火烧灼，再根据不同的裂纹判断"吉兆"或"凶兆"。占卜和办理的结果刻记在甲骨上，学者称这种记录为"卜辞"，这种文字为甲骨文［图1-1-09］。十九世纪末，甲骨文首先发现于河南安阳小屯村一带。目前，国内外共藏甲骨十五万片左右，现已发现的甲骨文字有五千个左右，但能够辨认的仅一千多字。甲骨文距今已3300多年，是现在所能看到的最早的成熟文字。

金文：又叫"钟鼎文"，商、周铸或刻在青铜（铜锡合金）器上的铭文［图1-1-12］。

篆书：大篆与小篆的统称。大篆狭义专指"籀文"，广义指甲骨文、金文、籀文和春秋战国时通行于六国的文字。"籀文"是周代《史籀篇》所用字体，因此而得名。有学者认为"石鼓文"即这种字体［图1-1-13］。小篆又叫"秦篆"，是秦朝通行的文字。秦始皇灭六国，统一华夏，其疆域广而文书日繁，但原先各国文字写法各异，于是采纳李斯"书同文"建议，以结构简化的小篆为正体字，淘汰了其他地区异体字。有学者认为小篆是在籀文的基础上发展、简化而成的。"泰山刻石"可代表其风格［图1-1-14］。

图 1-1-13 石鼓文　　　　　　　　　　　　　　　　　图 1-1-14 泰山刻石

隶书：隶书在秦朝为书写公文用字，汉代取代小篆成主流字形。隶书便捷可辅佐篆书，相传创始者为程邈，由篆书简化而来。但高亨先生认为，隶书由春秋战国东方六国古文字演变而来。东汉的《熹平石经》［图 1-1-15］，是最具代表性的隶书。

楷书：又叫"正书"、"真书"。东汉产生楷书，是对隶书的简化，魏晋通行至今。也是雕版印刷的通用字体［图 1-1-16］。

图 1-1-16　唐欧阳询书《九成宫醴泉铭》

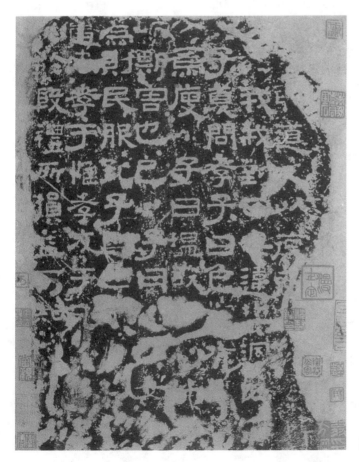

图 1-1-15《熹平石经》

小篆到隶书,是今文与古文的分水岭。甲骨文、金文、篆书总称古文字。特点为圆形、弧线多,图画味重。隶书、楷书总称今文字。从小篆向隶书演变,最显著的变化是从宛转的线条变为平直的笔画,从无棱角变成有棱角,这就大大方便了书写和镌刻。总的来说,楷书形成后,中国文字已基本定型。此后,虽有行书、草书,但行书是介于楷书与草书之间的、运笔自由的一种书体,主要用于一般性书写,草书主要作为供人们欣赏的艺术品,因写出来不易识而失去了它作为记载和传播信息的文字之本能,并无多大实质性变异。到楷书,中国的汉字已演变成为笔划省简、规范,更易于刻版印刷之文字了。文字的产生、发展和规范,对于印刷术的发明与完善则是至关重要[图 1-1-17]。

汉字既是当今世界仅存的自源文字,又是使用时间最长的文字。汉字是华夏文明的象征,对中国国内少数民族和周边国家的文字有过巨大的影响。历史上,契丹族、女真族、党项族、壮族等少数民族,以及邻国朝鲜、越南和日本等,或直接借用汉字记录自己的语言,或借鉴汉字创造自己的文字,从而提早跨入文明时代。

甲骨文			
金文			
小篆			
隶书			
楷书			

图 1-1-17 汉字演变举例

二、刀、笔、纸、墨

在印刷术发明前,刻刀、毛笔、墨和纸张都已十分精良,对雕版印刷术发明起决定作用, 也为雕版印刷的发明奠定了坚实的物质基础。

(一) 刀

刀在《汉语大字典》中被释为"用于切、割、砍、削的器具总名"。刀是早期人类使用的劳动工具之一。二十世纪六十年代,在山西芮城匼河村发现了距今 180 万年的石器,可大致分为砍斫器、刮削器、三棱大尖状器等,是目前我国发现的年代最早一批石器,已具有"刀"的部分性能。而在我国许多旧石器时代晚期的遗址中,已发现了石刀与骨刀。学者们已大致认定,至少在铜石并用时代的仰韶文化后期,即大约在公元前 3500 年以后的一个时期,我们的

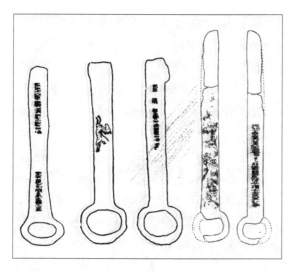

图 1-1-18　汉代书刀

祖先已经知道了铜，并且已会制造简单的小件铜器，其中就包括刀，甘肃东乡就出土了公元前 2700 年的青铜刀。炼铁技术进步后，铁的坚牢锐利会远远超过青铜。1972 年在河北藁城台西村商代遗址发现的铁刃铜钺，年代在公元前十四世纪前后。随着时代进步，铁器工具逐渐取代了青铜工具。据钱存训先生考证，书刀是汉代专门用作削治简牍的文具，"皆系铁制"［图 1-1-18］，而汉以前的刀、削等普通刃具"虽亦间有铁制者，但大多皆系铜质"。雕版用刻刀与书刀功用不同，但同属铁制刃具，说明当时已具备制造雕版工具的条件。

（二）笔

笔是写字画图的工具，也是雕版印刷不可缺少的工具。通常情况下，在雕版之前，需要用薄纸写出字稿，再反贴于木板表面，才能进行刻版。甲骨文中有表示笔的"聿"字［图 1-1-11］，说明商代已有笔，据专家考证，甲骨文有的是先用笔书写后，再行雕刻的。在此之前，新石器时代彩陶上的图纹可能就是用笔描画的。春秋战国时代，毛笔已很盛行。现存最早的笔是长沙出土的战国笔，秦、汉以后的毛笔则有多处出土［图 1-1-19］，造型结构已十分接近于现代毛

a

b

图 1-1-19
a 长沙出土的战国笔
b 甘肃武威出土的西汉笔

笔。中国的毛笔属柔毫软笔尖，公元前3500年两河流域的苏美尔人在泥版上压写丁头字用的是削尖的木棍或芦苇杆等，属硬笔尖。中世纪欧洲人在羊皮纸上书写所用鹅毛笔、铅质笔［图1-1-20］等亦为硬笔尖。唐兰先生说："中国人能把书法发展为一种艺术，就因为笔的缘故。"毛笔的发明和发展，于汉字的演进和规范，功不可没，也为印刷术提供了良好的工具。

图1-1-20 十四至十五世纪的铅质笔

（三）墨

墨是雕版印刷不可缺少的材料，它不但是书写材料，更是印刷的转印色料，印刷就是通过印墨将印版上的图文转移到承印物上的。墨在新石器时代的彩陶与商代的甲骨文书上已可见到。出土于湖北云梦睡虎地战国至秦的墨是现存最早的人造墨。早期的墨，是用天然色料制成。至少从汉代起，松烟成为制墨常用的材料，东汉韦诞（179—253）改良制墨术，制造出"一点如漆"优质墨，一般认为就是松烟墨。明代宋应星（1587—1660）在《天工开物》中详细介绍了松烟制墨法，并配以插图［图1-1-21］。另外，南唐制墨家李廷珪最早采用桐油制油烟墨，使制墨技术有了进一步发展。

图1-1-21 松烟制墨法（《天工开物》，明崇祯十年刻本）

（四）纸

甲、纸发明前的书写纪事材料

在没有纸张的时代或地域，人们采用多种多样的材料来书写纪事。国外有纸草书、泥版书、羊皮纸书等。在中国，汉字最初被刻铸或书写在龟甲、兽骨、石料、竹简、木牍、青铜器、缣帛等载体上。其中甲骨、金石等文献不是供人们日常阅读的图书，学术界一般认

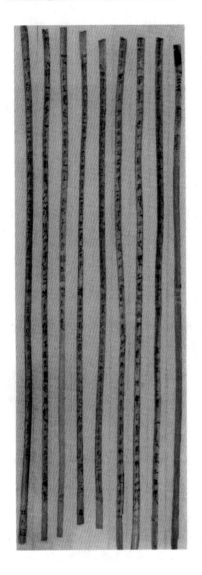
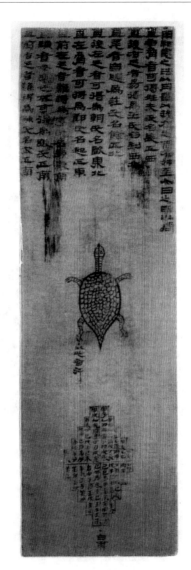

图 1-1-22 张家山汉简《筭数书》　　　图 1-1-23 尹湾汉墓木牍《神龟占》

为我国古代最早的书籍形式是简牍与帛书。竹简多用竹片制成,每片写字一行,将一篇文章的所有竹片编联起来,称"简策"[图1-1-22]。用于书写文字的木片称"木牍",所书写的多为短文[图1-1-23]。简牍起源于何时,目前还没有明确的结论,但甲骨文中已有了"册"字[图1-1-11],说明商代已有了简策,西周至春秋战国时使用更广。帛书的文字是书写于丝织品上的[图1-1-24],甲骨文中已有了"丝"字[图1-1-11],帛书应该是与简策同时运用的文字载体形式。

图 1-1-24 马王堆汉墓帛书《老子乙本》

乙、纸的发明

简牍沉重而不易携带, 缣帛价高而不能轻得。至少在汉代, 中国人在世界上首先创造了轻便而价廉的文字载体——纸。现在存世最早的纸大约出产于西汉武帝时期 (公元前 140—前 87), 主要是麻纸, 当时有的纸张已能用于书写 [图 1-1-25], 比过去相传蔡伦发明纸的年份要早上百年。东汉元兴元年 (105) 蔡伦总结前人

图 1-1-25 敦煌悬泉出土的西汉字纸

经验,改进了造纸工艺,使造纸原料扩大为树皮、麻头、破布、鱼网等,并提高了纸张的质量。到公元五世纪,纸张才完全替代了简牍、帛书,成为主要的书写材料。南北朝是纸写本的繁荣时代,写抄本的盛行,使书籍产量大增,促进了文化的传播。纸作为我国古代的伟大发明,对促进人类社会的进步,与印刷术有着同样的价值。纸的发明,不仅为社会提供了优质的书写材料,也提供了重要的印刷材料[图 1-1-26]。

三、刻、写、铸、印

印刷术的本质是一种把图文转移到载体之上的复制技术。从远古至六朝,各种刻、写、铸、印图文的技术已相当成熟,对印刷术的发明与完善具有深远的影响和启迪。

图 1-1-26　汉代造纸工艺图

图 1-1-27 猪纹黑陶钵（浙江余姚河姆渡出土，距今约 7000 年）

（一）刻

就中国传统的印刷术而言，印版基本上是手工雕刻的，可见手工雕刻技术的出现实乃印刷之源。从世界范围看，法国旧石器时代已有距今 2.7 万—2.5 万年雕刻而成的石壁浮雕作品［图 1-1-04］。中国在距今数千年的新石器时代，产生了雕刻的岩画作品［图 1-1-05］。与此同时，陶器上的图案和符号也有刻划而成的 ［图 1-1-27］。到了商代，甲骨文和金文的雕刻技术已相当成熟。甲骨文有的是先写后刻，有的是直接镌刻上去的；金文大多是铸成的，少量是雕刻的。东周迄秦，石刻之风日益盛行，使得古老的手工雕刻技术从量和质两方面都得到飞跃性发展。中国古代的石刻文字，历史久，数量多，反映了精湛而娴熟的文字雕刻技艺。最著名的石刻文字有先秦的"石鼓文"、秦代刻石、东汉《熹平石经》、三国时魏《正始石经》［图 1-1-28］。南北朝时，出现了反体石刻［图 1-1-29］和凸体石刻［图 1-1-30］。这些技术，与印版的雕刻更为接近。

图 1-1-28 《正始石经》

图 1-1-29 梁文帝陵前神道碑正反体铭文

图 1-1-30 河南龙门石刻的阳文正体碑文（刻于五世纪）

图 1-1-31 大汶口
文化彩陶豆

（二）写

写在汉语中是个多义字，可以表示书写、誊录，也可以表示摹画、绘画。中国传统印刷术总离不开"写样"的工序，这个"写"，广义上应包括写字和绘画两个方面。人类社会先有图画，后有文字，图画和文字可以雕刻，也可以手写手绘。中国新石器时期的陶器，有不少是彩陶，图案由几种颜色组成，给印刷术中的彩色套印术以启示［图 1-1-31］。而文字的书写，有甲骨文、简牍、帛书、敦煌写经等大量存世。魏晋南北朝时，中国已产生了顾恺之、王羲之等家喻

户晓的画家和书法家,他们的作品原件已很难见到,但后代的名家摹本,仍可让我们领略昔日的辉煌。这些绘画、书法等方面的艺术成就,在印刷术的发明与完善过程中发挥了直接的作用。

（三）铸

金文是镌刻技术与古老的冶炼技术相结合,铸造或镌刻在青铜器上的文字,常载于各种彝器、乐器、兵器、度量衡器、钱币、铜镜和金属印章之上。其中以彝器之上载文数量最多。 自商代起,青铜器上的文字就铸多于刻。从工艺技术角度讲,铸要比刻复杂,难度也大得多。唐兰先生《中国文字学》中说,商代铜器上的文字,"有些是凹下去的,有些是凸起来的,也有是凹凸相间的。凹的现在通称为阴文,凸的是阳文。这些款识(即青铜器上的文字),是先刻好了,印在范上,然后把铜铅之类镕铸成的,阴文在范上是浮雕,在范母上却是深刻,阳文在范上是深刻,在范母上还是浮雕。"从现存青铜器看,大多是阴文,偶尔有阳文。铸阴文的字范应是凸起反体字,从外观看与用于印刷的雕版上文字一致,说明当时已懂得文字由"反字"得"正字"的原理。需要着重指出的是,唐兰先生认为,铸于春秋秦景公时(前576—前537)青铜器《秦公簋》范上的铭辞"似乎是用一个一个活字印上去的"[图1-1-32]。这对活字印刷术的发明理应有所启示。有人把它看作活字印刷之先河,是不无道理的。

图1-1-32 秦公簋铭文

（四）印

罗振玉认为，卜辞"印"字从爪，从人跽形，象以手抑人而使之跽，"印"之本训既为"按抑"。依罗氏之说，"印"的本义就是通常所说的按压。印刷术就是将手工雕刻印版上的图文通过施加压力转印到承印物上从而取得大量复制品的技术。自先秦到南北朝先后出现的陶纹拍印、印章捺印（也称打印、钤印、盖印）、砖瓦模印、织物印花（含孔版漏印与凸版捺印）、石刻拓印等转印复制技术，都为雕版印刷术提供了成熟的经验。

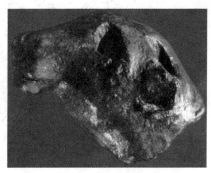

图 1-1-33　下韦斯托尼采（捷克）出土的黏土烧制动物小雕塑

甲、陶纹拍印

陶器的发明，是人类发展史上划时代的标志。现在已知最古老的陶器是捷克出土的用黏土烧制的动物小雕塑［图 1-1-33］，距今约 2.6 万年。中国陶器之最古者，无论北方的或南方的，均为新石器时期之遗物。已知较早的陶器见于湖南玉蟾岩、江西仙人洞等遗址，距今约 1 万年。在这些古代陶器上有图案和刻符，其中不少是描绘或刻划的，也有通过拍印技术拍印上去的，称为"印纹陶"

［图 1-1-34］。手工拍印装饰性花纹图案，是制陶工艺的一道工序。最初只是出于防止器物变形，加固陶坯的目的，故早期的印纹陶上多留有绳纹、篮纹、席纹和布纹等印迹。后来，随着制陶工艺的发展，纹样趋于丰富、精美，逐渐演变成刻模拍印技术，使古代制陶拍印技术大大地前进了一步。供拍印花纹图案使用的印模，迄今已

图 1-1-34 印纹陶（半坡出土）

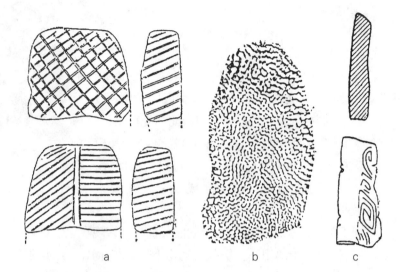

图 1-1-35
a 陶印模
b 雕纹龟版
c 石印模

a　　　　　b　　　　　c

发现多种,有陶印模、雕纹龟版、石印模[图 1-1-35]等。这些印模,长、宽、厚不等,形状不一,但都刻有图案花纹。有云雷纹、方格纹、水波纹、米字纹、回纹、斜条纹、叶脉纹、羽状纹等多种。据考古推断,当时的印模应以木质为多。因木质印模刻制容易,使用方便,人们理所当然地要使用木质印模。这种拍印技术具有手工刻制印模,并通过拍印而获得印迹之过程,开印模复制术之先河。

图 1-1-36 苏美尔人
使用的圆筒印章

乙、印章捺印

"捺"在《汉语大字典》中被释为"用手重按"。捺印就是盖印、钤印、打印、压印的意思。在世界范围内,现在存世最早的印章是两河流域与古印度印章。公元前 3500 年,发明丁头字的苏美尔人,为了减少压写泥版的工作量,制作了圆筒印章[图 1-1-36]。他们把文字刻在圆柱上,将圆柱在湿润的泥版上滚动,圆柱上的文字便印到泥版上。公元前 2600 年,古印度出现哈拉巴铭文印章,也主

图 1-1-37　被称为商代的印章

要用来在湿黏土上反复压印［图 1-1-08］。

中国的印章出现于何时目前尚无定论。有人认为河南安阳殷墟出土的数枚青铜印章，为印章始于商朝的实物证据［图 1-1-37］。但由于它们不是经过科学挖掘获得的，难以准确定其年代。《左传》中有"玺书"一词，说明春秋时已有象征权力的玺印。古代的印章，在纸发明以前，虽有用于缣帛之上者，但更多的是用于捺印封泥。自 1822 年以来，在四川、陕西、河南、山东等地，先后出土了大量封泥。这些封泥，最早的出自战国，最晚的是晋朝遗物。其用途主要是封存简牍、公文和函件。制法为将稠泥浆贴在捆好书绳的简牍锁口处，用刻好的印章在封泥上捺印，从而留印迹于封泥之上［图 1-1-38］。古代封泥赖其为泥质，虽逾数千年，所封简策均已腐烂无遗，而封泥犹存，给后世留下了宝贵的文化遗产［图 1-1-39］。东晋葛洪（284—363）《抱朴子》载："古之人入山者，皆佩黄神越章之印，其广四寸，其字一百二十，以封泥著所住之四方各百步，则虎狼不敢近其内也。"这种容载上百字的大印，与雕版的方法更为近似。另外，在战国至秦汉的印章中有一种"肖形印"，即刻有鸟、凤、牛、虎等图像的印章，王伯敏先生在《中国版画通史》中喻之为小品形式的"版画"［图 1-1-40］。

印章上的文字不管是铸是刻都是反文，印出来才是正字。说明古人已懂得反文与正字的关系。而印章中有阳文反字的，与印刷用雕版一

图 1-1-38　尚未启封的佉卢文木牍上的封泥

图 1-1-39　战国封泥

图 1-1-40　汉代肖形印

图 1-1-41　汉代"延年益寿"瓦当

致,可以印成白底黑字,缺点只是版面不大。因此,印章捺印的出现在印刷术源流史上,可算是一个里程碑。

丙、砖瓦模印

砖瓦模印是以泥土为材料转印复制文字或图案的重要手段。泥土来源广泛,故早在秦汉间已广泛使用。这些砖瓦上的文字和图案,都是在烧制之前模仿盖印方式模印上去的。从现存实物来看,模印在砖上的文字,多为与建筑相关的人名、建成日期和吉祥用语。而建筑用瓦上所印文字主要有"汉并天下"、"长生无极"、"长乐未央"、"延年益寿"［图 1-1-41］等吉祥字样。

丁、织物印花

我国早期纺织物,主要是麻布和丝绸。从新石器时代起,先民已会用麻搓线。养蚕、缫丝和织丝以我国为最早,并且在相当长的时间内是唯一掌握这种技术的国家。

中国纺织印染技术历史久远,早在春秋战国时期,已能在丝织品上印花。西汉初期,印花技术已十分成熟。南北朝以前,我国的织物印花术,大致可以分为孔版漏印和凸版捺印两大类。孔版漏印又可分为型版漏印与刺孔漏印两类,是现代丝网印刷的源头;而凸版捺印则上承印章捺印,两者共开雕版印刷之先河。

·型版漏印

型版漏印指的是在不同质的版材上按设计图案挖空,雕刻成透空的漏版,将漏版置于承印物——织物或其他材料之上,用刮板或刷子在镂空的地方涂刷染料或色浆,除去镂空版,花纹便显示出来,有人称之为"镂版印花",属孔版印刷范畴。文献和实物证明,早在春秋战国时期型版漏印在中国就已广泛应用。二十世纪七十年代末,考古工作者在江西省贵溪县渔塘仙岩一带春秋战国崖墓中,出土了印有银白色花纹的深棕色苎麻布,同时还出土了两块漏版印花用的刮浆板,这是迄今世界上发现的最早的型版印刷文物。织物型版漏印,还有另外一种工艺方法,即按照设计图案,雕刻成两块完全相同的漏版,将织物置于两块版之间,两版夹紧,然后在雕空处注以色浆,印上花纹。其特点是花纹左右对称,色彩两面相同,并有洇染现象,显得美观自然。这种方法与仅用一块漏版进行印刷的方法不同。

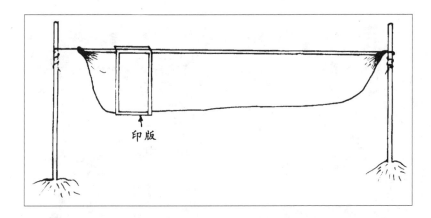

图 1-1-42　夹缬图

前者属于一般的型版漏印，后者是始于秦汉而盛于隋唐的夹缬印花［图 1-1-42］。由于型版漏印的自身特点，后代用型版印书的事例甚为少见，但民间有用型版漏印年画传世［图 1-1-43］。

·刺孔漏印

刺孔漏印是在硬纸板上先用笔画出轮廓，再用针尖照笔道刺孔成像，然后将漏版放在承印物上直接从针孔透墨印刷。其缺点一

图 1-1-43　哪吒闹海（河南开封木版套印与型版漏印年画）

图 1-1-44 刺孔漏版佛像

是花纹线条不细,二是只能为间歇纹样。这种方法颇近于现代的钢板蜡纸油印术或沿用至今的丝网印刷术。这种技术在佛教寺院中也曾流行一时,敦煌曾发现若干这样的纸质漏版,纸上佛像排列成行,头大耳长,端坐莲座之上。还发现有漏印成品,有的印在纸上,有的印在缣帛上,还有的甚至印在粉过的泥墙上,图像保存至今[图 1-1-44]。这是今日丝网印刷的前驱,为丝网印刷的发明与发展奠定了初步的基础。

图 1-1-45 马王堆西汉墓出土金银火焰印花纱

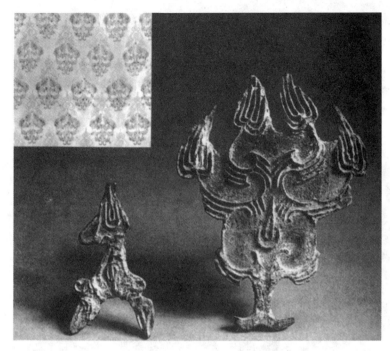

图 1-1-46　西汉青铜印花铜版

•凸版捺印

凸版印花的花版不镂空，花纹图案呈阳纹凸起状，印花时，将颜料涂在花版的凸纹线条上，然后捺印在丝织物上，织物上便显出花纹。这种技术不仅可以刻印出极细的花纹线条，还能生产出连续纹样，并且能够多色套印。凸版印花在秦汉时也已存在，长沙马王堆一号汉墓出土的"金银色印花纱"的图案，专家认为就是用三套凸版，即定位纹版、主面纹版及小圆点纹版依次套印而成的［图1-1-45］。1983年广州南越王墓出土的两件铜质印花凸版，其中一件印花凸版呈扁薄板状，正面花纹近似于松树形，有旋曲的火焰状花纹凸起，同墓还出土了一件仅有白色火焰纹的丝织品，其花纹形状恰与松树凸版纹相吻合［图1-1-46］。这证明中国早在两千多年以前的西汉时期，就已经掌握了多套色凸版印花技术。值得特别注意的是，马王堆西汉墓出土的金银火焰印花纱的图案花纹，与上述南越王墓出土的青铜印花铜版上的花纹相似，反映出当时这一工艺应用之广。

我们可以把春秋战国以后出现的织物印花（包括孔版漏印和凸版捺印）看成是印刷术的雏形。正是这种雏形中的印刷术，为完善印刷术创造了物质的和技术的条件。

•石刻拓印

将石刻文字复制到纸上称"拓印"。这是纸张广泛使用后，出现的一种文字复制技术。其工艺是：将纸张润湿后刷铺于碑刻文字上，用细毡压住湿纸，再用木锤或橡胶锤轻轻捶打毡面，使纸张凹入文字笔画中，待纸稍干后，用拓包沾墨均匀地着于纸上，石上的字是凹进石面的，所以有文字的部分受不着墨，把纸揭下来，便成为一件黑底白字的复制品，这就是拓本，也称拓片［图1-1-47］。

图 1-1-47 石刻拓印工具

印刷术发明以前，拓印是一种较简便的复制文字的方法。拓印方法与印刷已十分接近，它对雕版印刷术的发明，有一定的启示作用。拓印技术约起源于南北朝时代。梁文帝萧顺之建陵前竖立着两块神道碑，碑上铭文"太祖文皇帝之神道"八个大字，左碑为正字顺读，右碑为反字倒读［图1-1-29］。有人认为，反字用以复制碑文，作为纪念品送给前来祭祀的官员。其复制方法，正字为拓，反字为刷。此时已有以纸为承印物的拓印术。《隋书·经籍志》记载隋代宫廷的藏书中，就有拓印品，并述及梁所藏石刻文字已散佚，为南北朝已有拓印术提供了文献证据。唐代拓印更为普遍，敦煌石室遗书中的《温泉铭》［图1-1-48］，为唐太宗李世民撰书，此拓本是现存最早的拓本之一。宋代则发展到从一切有凹凸文字、图案的器物上拓印。

综上所述，作为印刷之源的手工雕刻技术，从远古时期岩画凿刻、陶器刻符算起，历经商朝的甲骨刻辞，以及商周以来的金石铭文等长期的实践和探索，达到了印刷术中雕刻印版的技术水平。同时，绘画书写、器物铸造、印章捺印、砖瓦模印、织物印花、石刻拓印等技艺，则是印刷术中写样上板与转印图文的复制技术之先驱，为完善印刷术奠定了坚实的基础。

图 1-1-48 《温泉铭》,唐拓本

四、经、史、子、集

在人类历史上,任何工艺技术的发明,不仅取决于相应完备的物质基础和技术条件,同时也取决于当时社会对这项技术的强烈需求,印刷术也不例外。图书是人类表达思想、传播知识、积累文化的物质载体。中国在进入隋唐之前,不仅出现了"书积如丘山"的景象,而且还产生了图书分类法,以便于图书的收藏与利用。这既反映了当时图书事业的发达,也体现出社会阅读需求的增长,从而促进了比抄写快捷的图书生产方式——印刷术的诞生。

中国最早的图书分类法产生于西汉。当时刘歆(?—23)编撰的《七略》,是我国第一部综合性的图书分类目录,也是世界上最早将人类知识加以系统化的一种创举。晋元帝时,李充编制《晋元帝四部书目》,正式确立了四分法的次序。至于四部书之称经、史、子、集,则北齐颜之推(531—约590)著《观我生赋》自注中已经有了,见于《北齐书》本传。《隋书·经籍志》总结前人经验,采用了南北朝以来赋予四部的经、史、子、集专名,从此之后,中国历代公、私书目,大多是用被视为"永制"的经、史、子、集四部分类法编制的。

清乾隆时编纂的《四库全书》是我国古代最大的一部丛书,分经、史、子、集四部,故名四库。新中国成立后,全国789家收藏古籍的机构联合编制的《中国古籍善本书目》,共分经、史、子、集、丛五部,本质上仍是四部分类法的延续。

　　产生于印刷术出现之前的经、史、子、集四部分类法,对中国后来图书的出版者有着引导的作用。例如历代"正经"、"正史"相继刊印,原因自然很多,但这类图书在"四部"中的地位应该是一个不容忽视的原因。了解经、史、子、集的内涵,对理清印刷术的发展脉络很有帮助。

　　"经"是指织布时的竖线,人们只有先把竖线排好,才能用横着的纬线织出布来。古人由此引申认为,儒家思想及其有关著作是社会秩序得以维持的根本保证,是社会意识形态的核心,起着极为重要的作用,因此把它称为"经"。作为重要经典的儒家著作,最初只有六种,即所谓的六经:《诗》、《书》、《礼》、《乐》、《易》、《春秋》(其中《乐》早在战国后期即已失传)。到了唐代有"九经"之说,宋代又发展为"十三经"。另外,古代经部的书除了包括儒家诸经外,还包含有"小学"(即今天的语言文字学)类的书,如《尔雅》、《方言》、《说文解字》等。朱自清《经典常谈》云:"《诗》、《书》、《礼》、《乐》等是周文化的代表⋯⋯这些原是共同遗产,但后来各家都讲自己的新学说,不讲这些,讲这些的始终只有'述而不作'的儒家。因此《诗》、《书》、《礼》、《乐》等便成为儒家的专有品了。"从汉代起,绝大多数统治者都把儒家学说当作治国之本,整个社会长期受其支配。从隋代至清末.1300年,通过科举考试踏

图 1-1-49 《三国志》,东晋写本

上仕途是读书人的主要生存之道，而各级科举考试着重考核以儒家学说为基础的文、史和学术知识。因而历代印刷品中经部之书占有很大比例。

"史"字之义是记事。《说文》："从又持中，中，正也。"即不偏不倚的意思。"史"又是古代一种职官的名称，即史官。古代有所谓"左史记言，右史记事"的说法。史部之"史"指史籍而言，但与今天所说的历史书籍不尽相同。除了史书（如《史记》、《三国志》［图1-1-49］）外，它还包括叙述典章制度（如《汉官仪》）、地理（如《水经》、《洛阳伽蓝记》）、目录（如《七略》、《七录》）方面的书。

"子"字在古代有很多意义，一般说"子"是古代男子有德者之称。子部书产生于春秋战国时代。子部中的"子"最初指的是思想家的著作和记录思想家言行的著作，如《老子》、《墨子》等。它们多属哲学著作，其中也涉及到政治、军事、文学等内容。随着学术的发展，子部书的范围不断扩大，其中农学（如《齐民要术》）、天文算法（如《九章算术》）、医学（如《黄帝素问》、《神农本草》）等科学技术书籍占相当多的数量，另外像小说（如《世说》）、宗教（如《高僧传》）、阴阳五行（如《易林》、《遁甲》）等类的书也有不少。

"集"按《说文解字》的解释是"群鸟在木也"。引申为汇集、聚集等意义。集部书大都带有汇集、综合性质。个人作品综合集称为别集，如《扬雄集》、《谢灵运集》。诸家作品综合集称为总集，如《文选》、《玉台新咏》等。当然，集部除包括历代诗、文、赋等各种体裁的作品外，也包括文学理论及对各种作品进行评论的著作，如梁刘勰的《文心雕龙》。

英国哲学家培根（1561—1626）将人类知识归纳为历史、诗歌和哲理，是现在西方各种图书分类法的基石，分别和中国四部分类法史、集、子暗合。据钱存训先生研究，培根在其著作中多次提到中国的事物，因此他所提出的三分法，很可能受到中国分类法的影响。

综上所述，从远古至南北朝，汉字的产生和规范，刀、笔、纸、墨的发明和改进，刻、写、铸、印技术的不断完善，图书事业的发达兴旺，构成了印刷术产生的社会文化背景、物质基础与技术条件，使得印刷术的发明和发展成为历史的必然。

第二章　始兴时期（隋唐五代）

公元581年，北周大丞相杨坚（541—604）夺取北周政权，建立隋朝（581—618）。隋朝于589年灭南朝的陈，统一中国，结束了自东晋以来长期分裂的局面。由于南北统一，隋朝的农业生产有了发展，手工业和商业也发达起来。隋炀帝（605—618年在位）即位后，开通了以洛阳为中心，南至杭州，北通涿郡（今北京），贯通中国南北的大运河。这条大运河的完成，大大促进了中国经济文化的发展。

公元618年，李渊（565—635）建立了唐朝（618—907）。唐王朝疆域辽阔，国势强盛，农业、手工业、商业兴盛，文学、艺术、科技成就巨大，对外交往频繁，成为当时国际贸易和文化交流的中心。

在隋唐的统一和经济文化繁荣的大背景下，雕版印刷术应运而生并得以推广。

公元907年，朱温灭唐建立后梁。此后，后唐、后晋、后汉、后周相继而起，占据黄河流域，史称五代（907—960）。与此同时，在全国范围内还有十个封建割据的政权，历史上称为十国。习惯上，人们将"五代十国"省称"五代"。

五代虽处割据状态，但社会生产和科学技术还是在发展的，因而使诞生不久的印刷术有机会普及和继续发展。

一、雕版印刷术的发明

印刷术的发明是长期文化、物质和技艺等积累的结果，有了这些条件，一旦社会需要，就会出现印刷术。我国古代应用最早的印刷术是雕版印刷，基本程序是：将需印刷的文字或图像，书写或描绘于薄纸上，再反贴于木板表面，由刻版工匠雕刻成反体凸字，即成印版。印刷时先在印版表面刷墨，再将纸张覆于印版，用干净刷子均匀刷过，揭起纸张后，印版上的图文就清晰地转印到纸张上，从而完成一次印刷。印刷术是中国古代四大发明之一。它的发明和推广应用，对人类文明和社会进步，产生了巨大的推动作用，因而被称为"文明之母"。

关于印刷术起源的时间，学术界一直存在不同的看法，主要有东汉说、晋代说、六朝说、隋代说、唐代说、五代说等。前三种说法证

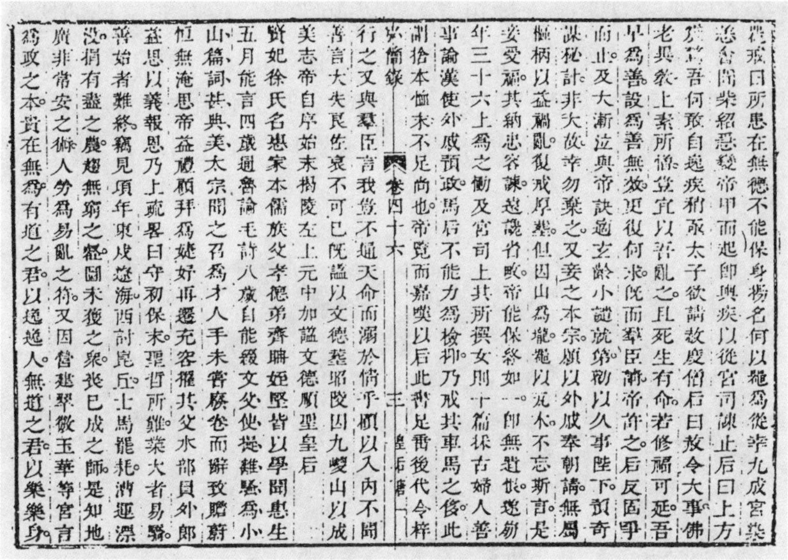

图 1-2-01　《弘简录》，清康熙二十七年（1688）邵远平刻本

据不足，难以令人确信，五代说又为存世众多的唐代印刷本所推翻。现在比较多的学者认为，雕版印刷术发明的时间大约在“隋唐之际”，即公元六至七世纪之交。

首先，从现有的文献看，明邵经邦《弘简录》[图 1-2-01]中记载，唐贞观十年（636）太宗下令刊行《女则》，这是目前在文献中发现的使用印刷术的最早记载，也是张秀民先生在雕版印刷起源问题上“贞观说”的重要依据之一。但明人说唐初事又未详说根据，不少学者对此持怀疑态度。张先生“贞观说”的另一条依据是唐五代间冯贽《云仙散录》卷五引《僧园逸录》说：“玄奘以回锋纸印普贤像，施于四众，每岁五驮无余。”[图 1-2-02]玄奘（602—664）于贞观三年（629，一说贞观元年）西游印度取经，贞观十九年（645）归国，麟德元年（664）圆寂，所以他雕印普贤像应在 645 年至 664 年之间。《云仙散录》有宋开禧元年（1205）郭应祥刻本存世，作者冯贽自序所题年款为后唐天成元年（926），唐末人说唐初事较为可信，因此许多学者据此认定唐初已有印刷术。可惜玄奘所印普贤像实物今已无

图 1-2-02　《云仙散录》，清咸丰四年（1854）影宋刻本

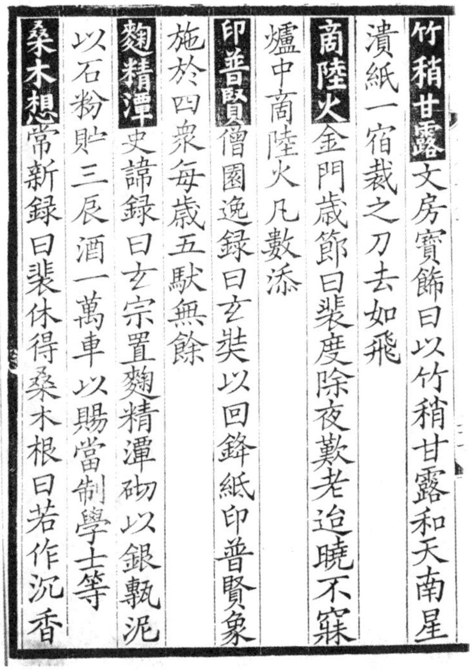
竹稍甘露文房寳飾曰以竹稍甘露和天南星
漬紙一宿裁之刀去如飛
商陸火金門歲節曰裴度除夜歎老迨曉不寐
爐中商陸火凡數添
印普賢僧園逸録曰玄奘以回鋒紙印普賢象
施於四衆每歲五馱無餘
麴精潭史諱録曰玄宗置麴精潭砌以銀瓢泥
以石粉貯三辰酒一萬車以賜當制學士等
桑木想常新録曰裴休得桑木根曰若作沉香

传。后来，日本学者神田喜一郎先生发现，略晚于玄奘的法藏
（643—712）在《华严经探玄记》卷二有"如印文，读时前后，印纸
同时"之语，在这里，"印文"、"印纸"被用来作比喻，而在法藏的
另一些著作中，也有类似的记述。可见雕版印刷此时已是众所周知
的事实。

图 1-2-03
小佛像印模（八世纪）；
《千佛图》，九世纪捺印本

　　其次，从现存实物看，隋唐时代印刷品已有多处发现。大约在
南北朝、隋唐之际，盛行一种捺印佛教图像，即将佛像刻在印模上，
依次在纸上轮番捺印［图 1-2-03］。敦煌有一泥模捺印佛像，上有
书法家曾熙（1861—1930）题字："敦煌石室经卷，予见南齐人书
经，其卷背皆印千佛像，画法亦同此卷。"南齐亡于公元 502 年，这
种捺印小佛像标志着由印章至雕版的过渡形态，也可以认为是版
画的起源。1983 年美国纽约出版的拍卖书画目录中有一幅《敦煌
隋木刻加彩佛像》，经学者考证为隋大业三年（607）木刻彩绘本
［图 1-2-04］。1906 年在中国新疆吐鲁番发现了刻印的《妙法莲花
经》残卷，现存于日本东京书道博物馆。因经文中有武则天时的制
字，日本版本目录学家长泽规矩也考证断定其为中国武周时期的
刻本。1966 年韩国庆州佛国寺佛塔内发现汉字印刷品《无垢净光
大陀罗尼经》［图 1-2-05］，该卷轴较长，有不少中国民间习用的

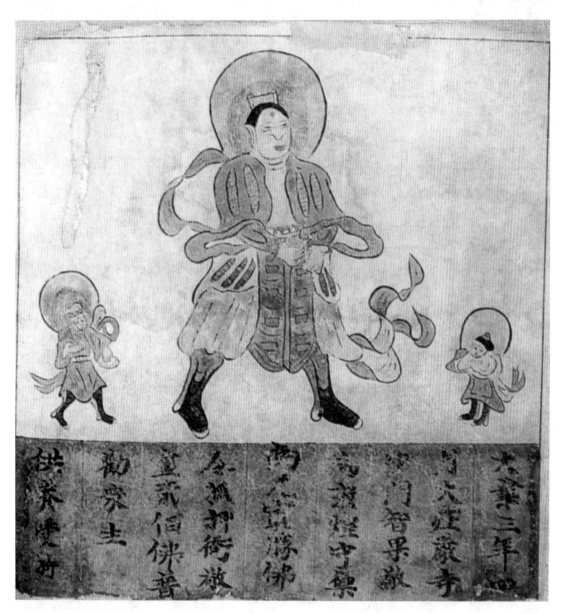

图 1-2-04　《敦煌隋木刻加彩佛像》

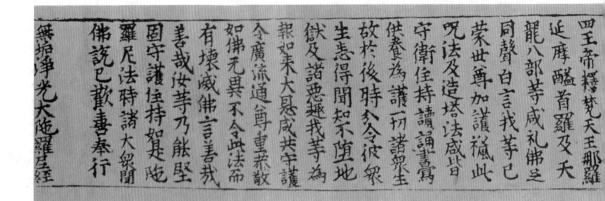

图 1-2-05　《无垢净光大陀罗尼经》

俗体字或异体字，特别是有几个武则天称帝时期（690—704）颁行并通用的制字。经卷本身没有刊行年代和地点的记录。经李致忠、潘吉星、张树栋等学者考订，认为该经不晚于大足元年（701）在唐朝翻译，于唐长安二年至四年（702—704）在洛阳刻印，因为公元705 年唐中宗即位后诏令废除武周制字。1974 年西安柴油机械厂工地唐墓出土梵文陀罗尼经咒单张印本，出土时此经咒置于死者佩带的铜臂钏内。考古学家韩保全先生通过对这批文物的研究，将此经咒定为唐初（七世纪初叶）的印刷品，并说"它应该是当前世界上已知的最古的印刷品"。［图 1-2-06］除上述发现外，我国考古工作者还先后在安徽阜阳、无为，江苏镇江，陕西西安等地多次出土印本《陀罗尼经》，时间均为唐代，只是确切年代已不可考。学者们认为这些印刷品都是印刷术较为成熟之作，在此之前必定有一段印刷实践和改进过程。

　　为什么在此前后出现如此众多的佛经咒语刻本呢？唐武后时，佛教密宗传入我国，其习用的咒语真言（音译"陀罗尼"）也很快风靡于世。这些咒语有的附在《金刚经》等佛经前后，有的单独印行。人们常随身佩带单刻的咒语，以作为护身符。在佛典中，特别是密宗典籍中，常向信徒宣传："诵读咒文"可以"延年益寿"，"受持神咒"可以"常得安乐"，特别是教导信徒信"法舍利"，即多次抄写佛经或经咒，将其置入佛塔

图 1-2-06　《陀罗尼经》

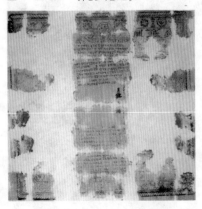

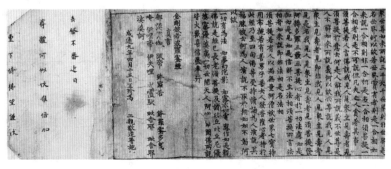

中供养以积福根。从武周末年所刻《无垢净光大陀罗尼经》到公元
770 年日本称德天皇刊印百万经咒，再到五代吴越国王、高丽总持
寺分别于 956 年与 1007 年所刊《宝箧印经》，都是小幅经咒，也都
是舍入塔内，行法舍利。由此可见，密宗经咒的广泛传播推动雕版
印刷术走向成熟。

　　经过佛像、经咒两个阶段的发展，在公元九世纪出现《金刚
经》这样成熟的作品就不再是偶然的了 [图 1-2-07]。它是一卷首
尾完整而又正规的书籍。图文并茂，印刷精美。最宝贵的是，卷末清
清楚楚地注明刻印日期和出资印书人，其题记为："咸通九年四月
十五日王玠为二亲敬造普施。"证明其刻印年代为公元 868 年。这
是其他诸多唐代印刷物不可比的。因此，《金刚经》至今作为世界
上最早的有确切刻印日期的印刷品，王玠是现知最早的自记出资
印书人。1907 年英国人斯坦因第一次来到敦煌即将其掠去，至今存
在英国伦敦大英博物馆。敦煌遗书中，还有些文献虽然是写本，却
是据印本抄录的。如现存法国巴黎的咸通二年（861）写本《新集备
急灸经》，书内有"京中李家于东市印"一行，说明本书是据印本转
抄而成。其印刷时间早于 861 年，这为《金刚经》之前已有印刷术

图 1-2-07 《金刚经》，唐
咸通九年（868）刻本

提供了有力的证据。

综上所述，雕版印刷术的发明有一个长期实践、不断完善的过程。肖东发先生认为，印刷术的发明大致有两条线索。一条是民间坊刻；另一条是佛教信徒们因为传经的需要，多方探索反复实践的结果。抓住佛教传播这个线索，大体可以理清印刷术发明的发展脉络：大约公元六世纪已有捺印佛像，七世纪初出现雕印佛像，八世纪密宗经咒大量涌现，九世纪图文并茂的整部佛经标明印刷术已臻成熟。其中捺印佛像已属由印章至雕版的过渡形态，因而雕版印刷术发明于六至七世纪之交是有可能的。发明者主要是中国的佛教徒，因为他们具有极强烈的复制图文传播佛教的愿望。他们对世界文明的功绩，将永载史册。

二、雕版印刷术的普及

发明于隋唐之际的雕版印刷术，在唐至五代时期已进入普及阶段，并得到初步的发展。

（一）唐代的雕版印刷术

甲、刻印地区

唐代无论是北方或南方，都有刻书的活动。从文献记载和印刷实物看，唐代成都一带，是当时印刷业最兴盛的地区［图1-2-08］。此外，长安、洛阳、扬州、越州、敦煌都有印刷业分布。

乙、刻印系统

唐代寺院和民间坊肆印刷都很活跃。唐代佛教传播极广，寺院拥有土地和庄园，有足够的财源进行宗教宣传。如可以雇佣工匠，大量地进行经、像、咒、传的雕版印刷，以不断扩大争取信徒，宣扬教义。玄奘"印普贤像，施于四众"就是著名的范例。

除寺院之外，大部分是民间坊刻。从唐代遗存下来的实物中，可考的刻家就有"成都府樊赏家"、"上都东市大刁家"、"成都府成都县龙池坊卞家"、"西川过家"、"京中李家"等。唐范摅在《云溪友议》中称，纥干臮在唐大中元年至三年（847—849）任江南西道观察史

图1-2-08 "剑南西川成都府樊赏家历"残页，唐僖宗中和二年（882）刻本

时，"大延方术之士，乃作《刘弘传》，雕印数千本，以寄中朝及四海精心烧炼之者"。肖东发先生据此认为，私家刻书始于唐，纥干臮是最早的私人刻书家。除了明邵经邦《弘简录》中记载唐太宗下令刊行《女则》外，唐代约三百年的时间，基本没有出现官方刻书。

丙、刻印内容

唐代社会上的印刷品，内容已十分广泛。除佛教宣传品外，还有历书、诗文集、道家著作、字书、韵书、阴阳杂记、占梦相宅、九宫五纬。唐代来华日本僧人宗睿，在咸通六年（865）归国时带走许多图书，其中有刻印本《唐韵》、《玉篇》，说明当时雕版印本已流传到海外。不过，在唐代印刷品中还没有发现儒家经典书籍以及正统的史部著作。除图书外，唐代印刷品还有报纸、叶子格（纸牌）、印纸（纳税凭据）等。其中唐玄宗开元年间（713—741）刻印《开元杂报》［图1-2-09］被学者们认为是世界上第一份印刷报纸，比1609年德国出版欧洲最早的报纸，要早近九百年。

丁、刻印特点

唐代印刷品从刻印数量上看已发展到较大的规模。如唐初玄奘印普贤像"每岁五驮无余"；唐长庆年间"扬越间"刻印元稹、白居易诗文"处处皆是"；唐大和年间，中央未颁下新历，"印历已满天下"；唐大中年间纥干臮雕印《刘弘传》达"数千本"。这些文献的记载反映出唐代社会的印刷事业已日趋繁荣。唐代刻印图书多有边栏界行，通行的装帧形式是卷轴装，如有插图，则采用卷首扉

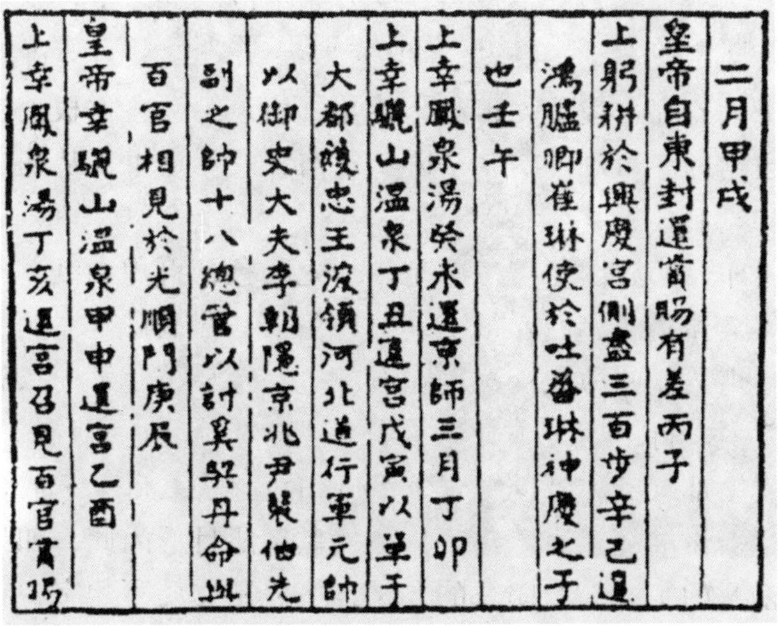

图1-2-09 《开元杂报》，仿刻本

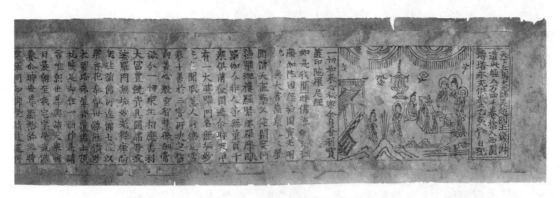

图 1-2-10 《一切如来心秘密全身舍利宝箧印陀罗尼经》,吴越国王钱俶刻本

图 1-2-11 《大圣毗沙门天王像》,五代曹元忠刻本

画的形式。另外，单张经咒多用回文形式刻印。

（二）五代的雕版印刷术。

五代是一个各地割据、政权更替频繁的时代，但印刷术仍有很大的发展。

甲、刻印地区

五代刻印的地域比唐代更为广泛，除长安、成都、扬州、洛阳与瓜、沙州（敦煌）等原有的印刷基地仍在发展外，开封、江宁、杭州一带的印刷也很兴盛。

乙、刻印系统

五代时在印刷史上最突出的贡献是冯道（882—954）主持刻印了"九经"等儒家经典。这是中央政府刻书由国子监主持的开始。监本"九经"的刻印，始于后唐长兴三年（932），又经后晋、后汉，至后周广顺三年（953）完成。除"九经"外，还刻印了《五经文字》、《九经字样》、《经典释文》等书。参与这项工程的还有李愚、田敏等。五代印经咒最多的是吴越国王钱俶（弘俶）。他所印的经咒现发现有丙辰年（956）、乙丑年（965）、乙亥年（975）刻本《一切如来心秘密全身舍利宝箧印陀罗尼经》（俗称《宝箧印经》），均称"印经八万四千卷"［图1-2-10］。五代后晋开运二年（945）起，曹元忠任归义军瓜、沙州节度使，至宋开宝七年（974）卒。在此期间，他曾召雇工匠，刻印了大批佛教画像［图1-2-11］。所刻《观音菩萨像》，上图下文，后题"于时大晋开运四年丁未岁七月十五日记。匠人雷延美。"为首次载有刻版者姓名的印刷品。肖东发先生认为钱俶、曹元忠刻书为地方"官刻"之始。五代另一位在印刷史上有重要影响的人是后蜀宰相毋昭裔（？—967）。公元944年开始，他自己出资刻印了《文选》、《初学记》和《白氏六帖》等书，还主持刻印过儒家经典"九经"。毋昭裔刻书被部分学者认为是古代"家刻"之始。

丙、刻印内容

五代雕版印刷的品种较多。在经部"九经"外，还雕印有子部（如《道德经广圣义》、《初学记》）、史部（如《史通》）、集部（如《文选》、《玉台新咏》）等类书籍。佛教宣传品也很兴盛，主要以经咒、佛像为主。现存五代时期的印刷品，除中国东南部出现的吴越雕印经咒外，主要发现于敦煌，有曹元忠刻印佛教画像，还有《大圣文殊师利菩萨像》［图1-2-12］和《文殊菩萨像》等，另外又有《切韵》、《金刚经》等书。

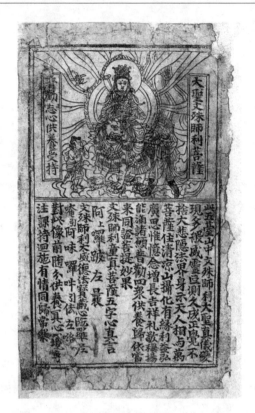

图 1-2-12 《大圣文殊师利菩萨像》,五代刻本

第三章　昌盛时期(宋辽西夏金元)

　　公元 960 年,后周的禁军统帅赵匡胤(927—976)在陈桥驿(今河南开封附近)发动兵变,代周自立,建立宋朝,建都开封。此后又经过多年征战,结束了唐末五代的长期分裂局面,使中国重新统一。为了防止中晚唐以来藩镇割据局面的重演,赵匡胤"杯酒释兵权",解除了禁兵统帅石守信等人的兵权。此后又采取各种措施,削弱武将的权力。

　　比之武人,宋朝对文人的待遇就非常优厚。文人执掌政权是宋代政治的特色,而文人大多是通过科举登第踏上仕途。宋朝文官有优厚的俸给,这就吸引普通人走上读书应举之路。由于图书成为很多人生存的必需品,自然也就刺激了图书生产水平的提高。从现有史料看,宋代图书出版业进入兴盛时代,形成了蜀、浙、闽三大出版中心。

由于在宋朝统治的 320 年（960—1279）中,实行重文轻武政策,因而北方疆土始终存在着异族的侵扰。最初是契丹,继而是党项,以后是女真,最后是蒙古。

异族的入侵,给中土带来的苦难是显而易见的,但也提供了各民族相互接触的机会。尤其是当时的入侵者均为落后民族,他们对中土进步科技、文化之向往,不亚于对其物产、土地的无限嗜欲,只是获取它们的手段有所不同而已。要获得物质财富,可以用抢掠和侵占的方式,而要获得精神财富,只能用学习和效仿的方式。正因为这个原因,汉族的科技、文化被异族统治者尽可能吸纳与效仿,并得以继续发展。在这样的背景下,中国的雕版印刷术在更多地区得到推广应用,而活字、套色印刷术也孕育成熟起来,特别是通过与西部地区的交往,中国的印刷术逐渐由东方传到西方。

一、雕版印刷术的繁荣

（一）宋代的雕版印刷术

宋代是中国古代雕版印刷的鼎盛时期。宋代从中央到地方的各级政府比较重视教育,书籍需要量大为增加,使印刷业有了广阔的市场;各类著作的繁荣,为印刷提供大量书源。

甲、刻印地区

宋代刻书地点遍布全国,从现在地理位置看,有蜀、浙、闽三大出版中心,另外还有江西、江苏、安徽、湖南、湖北、广东、广西等几个印刷业较集中的地区。北宋时期,首都开封也是重要的刻书地点。

乙、刻印系统

宋代政府对印刷很重视,从中央到地方的很多部门,都从事过印刷活动。与此同时,民间印刷也十分活跃。

北宋初年,政府就十分重视印版的收集和重要典籍的印刷。建隆四年（963）刻印《刑统》一书,是北宋官方刻印的第一部书。宋代国子监既是国家的教育机构,也是出版机构。《宋史》"职官志"载国子监主要职责之一是 "掌印经史群书,以备朝廷宣索赐予之用,及出鬻而收其值,以上于官"。景德二年（1005）真宗幸国子监,问国子监祭酒邢昺（932—1010）经板几何,邢昺答:"国初不及四千,今十余万,经传正义皆具。"宋代崇文院、秘书省、司天监、德寿殿等机构,亦从事印刷活动。宋代各级地方政府,也多从事印刷,不

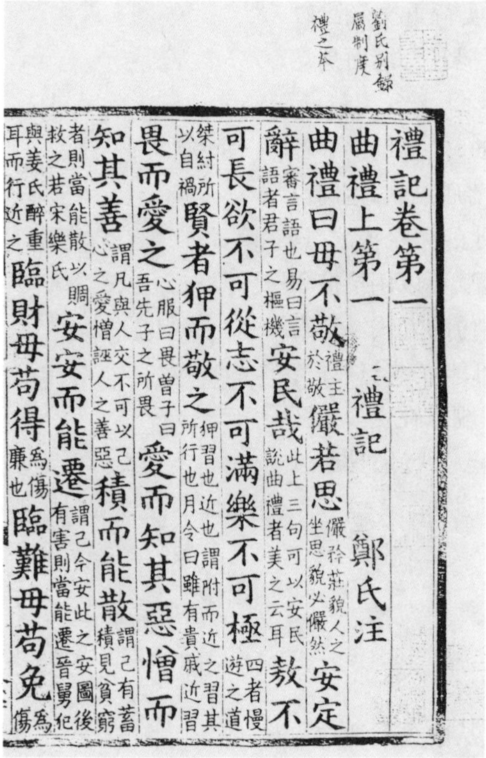

禮記卷第一

曲禮上第一　禮記　鄭氏注

曲禮曰毋不敬禮主於敬儼若思儼矜莊貌人之坐思貌必儼然安定辭審言語也易曰言語者君子之樞機安民哉此上三句可以安民說曲禮者美之云耳敖不可長欲不可從志不可滿樂不可極四者慢遊之道桀紂所以自禍賢者狎而敬之狎習也近也謂附而近之習其所行也月令曰雖有貴戚近習畏而愛之心服曰畏曾子曰吾先子之所畏愛而知其惡憎而知其善謂凡與人交不可以己心之愛憎誣人之善惡積而能散謂己有蓄積見貧窮者則當能散以賙救之若宋樂氏安安而能遷謂己今安此之安圖後有害則當能遷晉舅犯與姜氏醉重耳而行近之臨財毋苟得為傷廉也臨難毋苟免為傷

图 1-3-01 《礼记》，宋淳熙四年（1177）抚州公使库刻本

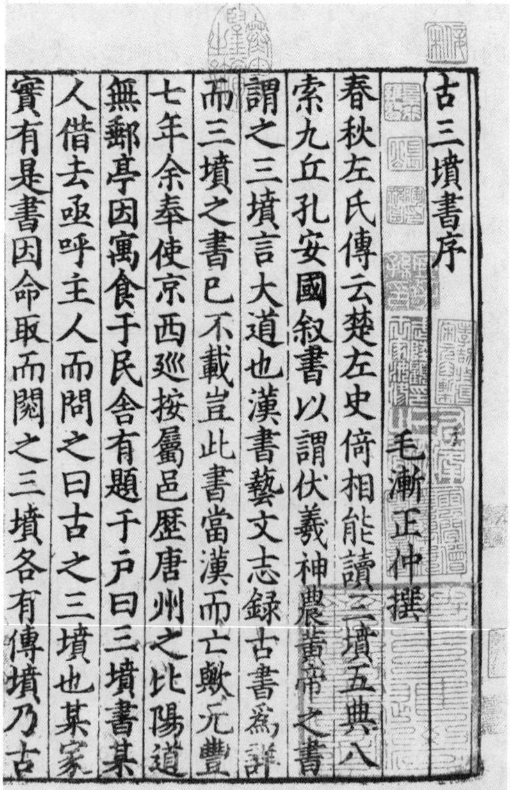

古三墳書序

毛漸正仲撰

春秋左氏傳云楚左史倚相能讀三墳五典八索九丘孔安國叙書以謂伏羲神農黃帝之書謂之三墳言大道也漢書藝文志録古書爲詳而三墳之書已不載豈此書當漢而亡歟元豐七年余奉使京西廵按屬邑歷唐州之比陽道無郵亭因寓食于民舍有題于户曰三墳書某人借去亟呼主人而問之曰古之三墳也某家實有是書因命取而閲之三墳各有傳墳乃古

图 1-3-02 《古三坟书》，宋绍兴十七年（1147）婺州州学刻本

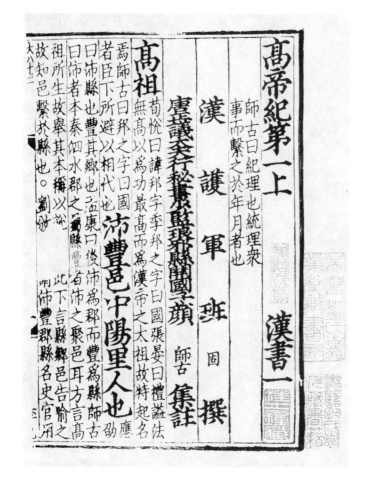

图 1-3-03 《汉书》，宋嘉定十七年（1224）白鹭洲书院刻本

少学者将地方政府所印的书，按其机构名称分别称为茶盐司本、转运司本、安抚司本、公使库本［图 1-3-01］，以及州、县本等。宋代的教育很发达，各级地方政府都办有学校，很多学校也都从事印书活动。所印书籍分别称为州学本［图 1-3-02］、府学本、县学本、郡斋本等。宋代书院创办者或为私人，或为官府，所刻书称为书院本［图 1-3-03］。

宋代民间雕版印刷，几乎遍及全国。福建是宋代印刷业最发达的地区。在福州，仅北宋就刻印过两次佛教大藏经。而建阳地区，书坊林立，书籍的印刷量居全国之首。宋代有记载的书坊有数十家之多，最为集中的在崇化、麻沙两处。朱熹有一篇《建宁府建阳县学藏书记》云："建阳版本书籍行四方者，无远不至。而学于县之学者乃以无书可读为恨。今知县事会稽姚侯耆寅始斥掌事者之余金，鬻书于市上，自六经下及训传史记子集，凡若干卷，以充入之。"说明建阳所鬻之书，内容丰富，品种多样。这里所印书籍，通过书商销往全

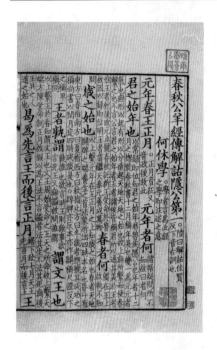

图 1-3-04 《春秋公羊经传解诂》,宋绍熙二年(1191)余仁仲万卷堂刻本

国各地。清叶德辉说:"宋刻书之盛,首推闽中,而闽中尤以建安为最,建安尤以余氏为最。"[图 1-3-04]据方彦寿先生考证,建阳书坊刻书,在其堂号之前多喜用"建安"之名,以示古雅,而"建安余氏"亦在其中。江浙的民间印刷,首推杭州。杭州的印刷质量为藏书家所称赞,有"天下印书,以杭州为上"之誉。南宋时,杭州(当时升州为临安府)成为政治、文化中心,集中了一大批民间书坊,以陈氏书坊最为著名[图 1-3-05]。他们刻印的书籍,有记载者近一百种,临安府中瓦南街东荣六郎家书籍铺,是从开封迁来,说明北宋时,开封也有一定数量的印刷作坊。四川的成都一带,自唐五代以来,印刷业就很兴盛。进入宋代,这里的印刷与建阳、杭州齐名[图 1-3-06]。宋代民间刻书除"坊刻"外,也有所谓"家刻",如周必大所刻《文苑英华》[图 1-3-07]、《欧阳文忠公集》等。但"坊刻"与"家刻"并无统一的区分标准,如余仁仲万卷堂刻书,张秀民先生将其列入"书坊"刻书,而李致忠先生则称其为"私宅"刻书。

丙、刻印内容

宋代刻印图书种类齐全,经、史、子、集均有,其中考工类(如《营造法式》)、天文算法(如《周髀算经》、《五曹算经》)、医家(如《伤寒要旨》、《本草衍义》)

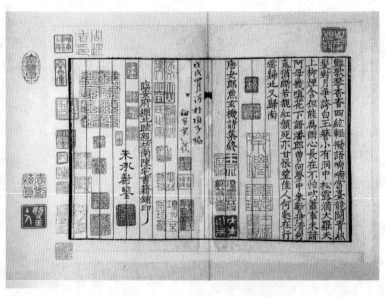

图 1-3-05 《唐女郎鱼玄机诗》,宋临安府陈宅书籍铺刻本

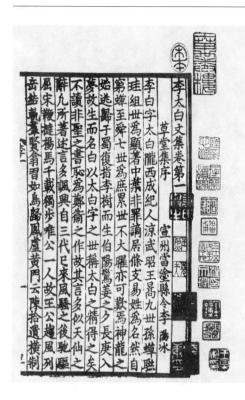

图 1-3-06 《李太白文集》，宋成都刻本

图 1-3-07 《文苑英华》，宋嘉泰元年至四年（1201—1204）周必大刻本

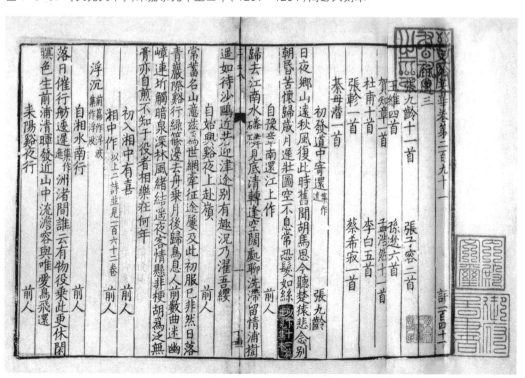

图 1-3-08 《开宝藏》,宋开宝四年至太平兴国八年（971—983）刻本

等科技图书及民间通俗读物（如宋刘攽撰《汉官仪》）等都曾得以刻印,而且佛经印刷活跃。在唐及五代佛教宣传品的印刷还只限于单卷佛经及佛像。到宋代则出现佛教大藏经的刻印。今天所知,宋代至少进行过六次佛教大藏经的刻印, 这就是《开宝藏》[图 1-3-08]、《万寿大藏》[图 1-3-09]、《毗庐大藏》、《思溪圆觉藏》、《思溪资福藏》和《碛砂藏》等。另外,宋代还刊刻了我国第一部道教经典总集《万寿道藏》。中国是最早印刷发行纸币的国家。它是社会经济和印刷技术发展到较高水准的标志。北宋初期,四川民间开始印刷发行纸币, 称为 "交子"。宋真宗大中祥符年间（1008—1016）经地方政府批准, 由十几户富商主办。天圣元年（1023）改由政府发行,逐渐向各地推广,后改 "交子" 为 "钱引"。

图 1-3-09 《万寿大藏》,宋元丰三年至政和二年（1080—1112）刻本

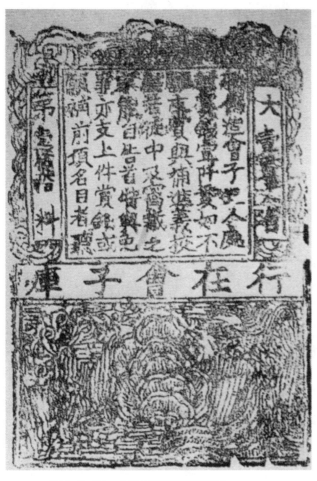

图 1-3-10　会子（南宋铜版印刷）

南宋印发过一种纸币称"关子"。南宋绍兴三十年（1160）政府正式印制发行纸币"会子"［图 1-3-10］。另外，宋代还出现了商标广告印刷。北宋时的"济南刘家功夫针铺"商标广告铜版流传至今。版面中央有商标"白兔儿"，广告文字为"收买上等钢条，造功夫细针，不甘宅院使用，客转与贩，别有加饶，请记白"［图 1-3-11］。

图 1-3-11　"济南刘家功夫针铺"商标广告（a 铜版；b 印件）

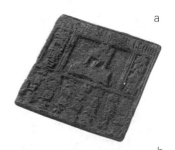

a

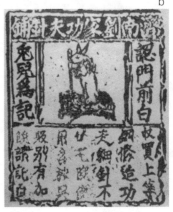

b

丁、刻印特点

宋代印刷数量大增，北宋景德年间国子监已存印版十万片，"经传正义皆具"。宋代纸、墨的制造技艺更为精良，雕版印刷技术已达到很高的水准，因而书籍的印刷质量达到历史高峰。宋代书籍的版式基本定型而趋向规范化。版心、版框和界行线等组成了古代版式风格，宋版书主要是欧、柳、颜等名

图 1-3-12 《攻媿先生文集》，宋宁波四明楼氏家刻本

家书体，但也出现了横平竖直、横轻竖重的印刷字体。这就是专用印刷字体——宋体字的前身[图1-3-12]。据钱存训先生描述，宋代所刻六种佛教大藏经，除《开宝藏》为卷轴式外，其余均为经折装。与此同时，宋代还开创了册页蝴蝶装和包背装等新型书籍装帧形式。

（二）辽代的雕版印刷术

据史料记载，契丹人建立的辽国雕版印刷事业非常兴旺。

甲、刻印地区

辽代印刷业最发达的是燕京（今北京）以及今河北、山西一带。

乙、刻印系统

辽代刻印书籍，文献记载较多，但流传下来的印刷实物很少。从现有材料看，辽代寺院曾刻书不少，存世的有"燕京弘法寺"刻印的《释摩诃衍论通赞疏》、"燕台大悯忠寺"刻印的《新雕诸杂赞》。与此同时，民间也刻印图书。在当时的燕京，有记载及流传至今的有辽统和八年（990）"燕京仰山寺前杨家"刻印的《上生经疏科文》，说明当时北京的印刷业已十分兴盛。

丙、刻印内容

辽代重视佛教，于统和（983—1012）与重熙至咸雍（1032—1074）年间两次刻印佛教大藏经，称为《契丹藏》（亦称《辽藏》）[图1-3-13]，另外还刻印许多单本佛教书籍（如《金光明最胜王经》、《一切佛菩萨名集》）。据文献记载，辽代除大量印刷佛经外，还吸收中原文化，印刷儒家经典（如《五经》）、史书（如《史记》、《汉书》）、医书（如《肘后方》）、诗集（如《大苏小集》）、工具书（如《龙龛手镜》）以及儿童读物

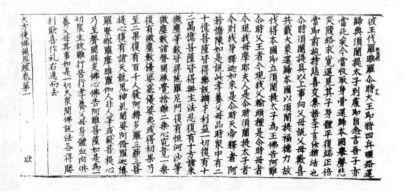

图 1-3-13 《契丹藏》，辽统和燕京刻本

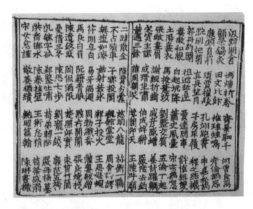

图 1-3-14 《蒙求》,辽刻本

（如《蒙求》）等,但多未见传本,存世者极少［图 1-3-14］。

（三）西夏的雕版印刷术

西夏刻印书籍印量很大。在政府机构中,设有纸工院和刻印司等,可见当时政府很重视印刷。西夏刻汉文书很少,已发现西夏文著作及译本较多。

西夏的印刷品分以下类别:一是佛经［图 1-3-15］,印量最大,有的佛经印量达五万卷、十万卷。二是字书,著名的有《番汉合时掌中珠》,是西夏文汉文字典;《文海韵宝》,是西夏字书［图 1-3-16］。三是儒家著作,有《论语》等书。四是历史书,有《贞观要文》、《十二国》等。五是兵书及律令,有《孙子兵法三注》、《六韬》、《贞观玉镜统》、《天盛改旧新定律令》等。六是历书,有刻印的历书残页流传至今。另外还包括诗集、医方、占卜辞等世俗文献。

（四）金代的雕版印刷术

金政府提倡学习汉语,尊孔读经,推行科举,兴办教育,收集书籍,对印刷业也十分重视。

甲、刻印地区

金代印刷业,遍及今北京、河南、山西、陕西、河北、山东等北方广大地区。

乙、刻印系统

海陵王时设立国子监,主管书籍的印刷。据记载,金国子监所印的书有《六经》、《十七史》、《老子》等数十种,张秀民先生认为是用北宋旧版印行的。天会八年（1130）,政府在平阳设立经籍所,刊印经籍。金民间印刷也以平阳（今山西临汾）一带最为兴盛。当时印刷作坊密布,在这一带,还有一定规模的制墨、造纸业。张存惠晦明轩、王宅中和轩等为平阳著名的印刷作坊,此外王文郁、李子文、姬家等也以刊书为业。

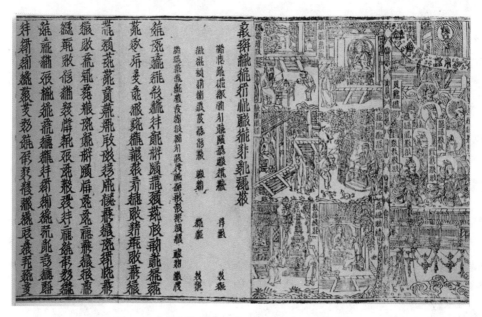

图 1-3-15 《观弥勒菩萨上生兜率天经》,西夏刻本

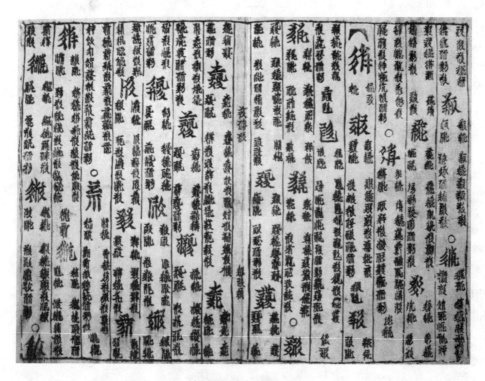

图 1-3-16 《文海韵宝》,西夏刻本

图 1-3-17 《四美图》

丙、刻印内容

　　金代所印书籍品种，经、史、子、集均有，其中以医药类书为最多。如《黄帝内经素问》、《本草衍义》、《伤寒直格》等，平阳姬家刻印的《四美图》[图 1-3-17] 刻工娴熟精细，为现存最早的年画之一，其原件已流落国外。金代平阳民间印刷的最大工程是《金藏》，也称《赵城藏》[图 1-3-18]，约七千余卷。由民间集资雕刻而成。另外，金代还将宋代《万寿道藏》的版片加以增补，印行了《大金玄都宝藏》。金政府也很重视纸币的印刷，最早发行于贞元二年（1154），被称为"交钞"。贞祐三年（1215）交钞遭废止，开始发行"祯祐宝券"[图 1-3-19]，其后又发行过"贞祐通宝"、"兴

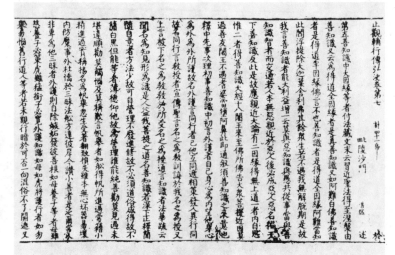

图 1-3-18 《金藏》，金皇统九年至大定十三年（1149—1173）解州天宁寺刻本

定宝泉"等纸币。

（五）元代的雕版印刷术

在中国印刷史上，元代具有承上启下的作用，它继承了唐宋以来印刷的优良传统，而且有新的发展。由于国家的统一，印刷术在更多地区得到推广应用。

甲、刻印地区

和两宋相比，元代雕版印刷地域分布更广，几乎遍及全国。印刷业最为发达的是今浙江、福建、北京、山西、江苏、江西等地。元代印刷业发展的另一特点，是印刷术逐渐向边远地区传播，在今新疆、西藏也有印刷业的记载。

乙、刻印系统

元代政府的兴文署、广成局、国子监等机构，都从事印刷活动。由于京城的刻印技术力量不足，很多政府的书，都拿到杭州刻印。其中最著名的是《辽史》和《金史》两部书。

元政府重视教育，除著名的八大书院外，各级地方政府也都办有学校，这些书院和地方学校有一定的田产，可将一部分收入用于刻印书籍［图1-3-20］，书院刻书最著名的是杭州西湖书院。西湖书院原为南宋国子监故址，宋亡，监中版库固存，但所藏各种书版多有残缺，入元后，西湖书院将这些版片加以修补印行。元朝黄裳

图 1-3-19 祯祐宝券五贯钞版

脣喉舌牙部仵而次之有可紐不可行之及古體有
依約之並采以爲證庶無壅而昭其憑起終五年精
成一部前後總加四萬二千三百八十三言仍篆隸
石經勤存正體幸不譏繁于時歲次辛卯天寶十載
也

唐韻序

至正丙午菊節
南山書院刊行

廣韻上平聲卷第一

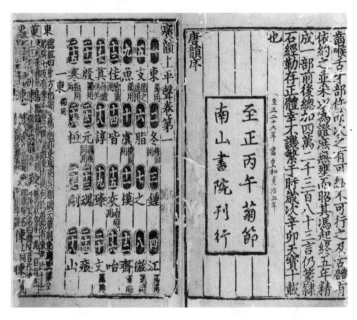

图 1-3-20 《广韵》，元至正二十六年（1366）南山书院刻本

等人编制有《西湖书院重整书目》，该目全文刊刻在石碑上，分经、史、子、集四部，共收书籍 122 种，基本上著录的是南宋国子监之书。以后又新刻了《国朝文类》和《文献通考》［图 1-3-21］等书。学校印刷最有特点的是多所儒学联合刻印系列书籍，如庆元路儒学联合附近儒学分工刻印了一批书籍，计有《玉海》、《困学记闻》等。另一刻印大工程是，江东八路一州儒学联合刻印《十七史》（实刻十史）。为了使刻印的书籍风格统一，他们制造了统一的版式。由几个学校联合分工刻印大部头书，是印刷史上的一大创造，它可以集中力量快速出书。

元代民间印刷业遍及全国各地，特别是平阳、杭州、建阳等地，集中了很多的印刷作坊。平阳为今山西临汾一带，从宋代开始，这里就有民间印刷业，金代这里是北方重要的印刷基地。元代以来，这里的印刷业仍持续发展，印刷作坊有几十家。其中多数是金代就开业的老字号。著名的作坊有张存惠晦明轩［图 1-3-22］、王宅中和轩等。平阳刻印最大的工程是刻印于玄都观的道藏《玄都宝藏》。杭州及附近一带是古代印刷业最发达的地区，进入元朝，这里的印刷业仍居全国之首，由于政府的重要书籍拿到杭州刻印，更促使了这里印刷业的发

文獻通考卷之三

鄱陽馬端臨貴與著

田賦考

玄宗開元八年頒庸調法于天下 是時天下戶未嘗升降監察御史宇文融獻策括籍外
羨田逃戶自占者給復五年每丁稅錢千五百以攝御史分行括實
陽翟尉皇甫憬上書言其不可帝方任融乃貶憬爲盈川尉諸道所
括得客戶八十餘萬田亦稱是州縣希旨張虛數以正田爲羨編戶
爲客歲終籍錢數百萬緡
沙隨程氏曰按唐令文授田每年十月一日里正預造簿縣令
總集應退應受之人對共給受謂如里正管百丁田萬畝立法
之意欲百家仰事俯育不致困乏耳因制租調以祿君子而養
民之意爲多律文脫戶者有禁漏口者有禁浮浪者有禁占田

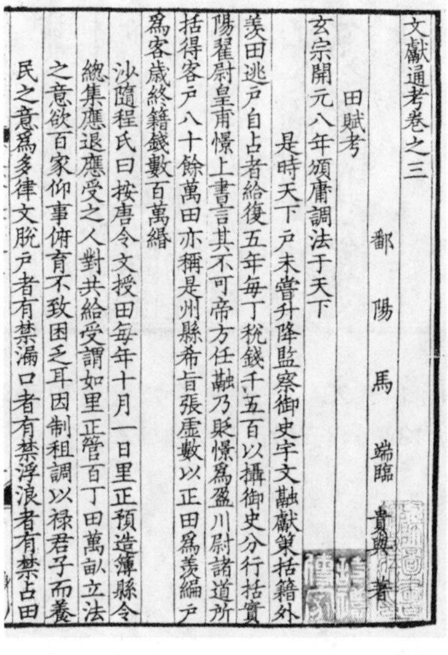

图 1-3-21 《文献通考》，元泰定元年（1324）杭州西湖书院刻本

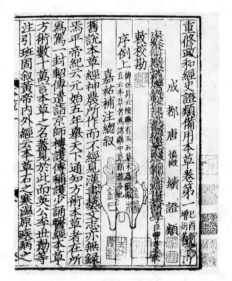

图1-3-22　《重修政和经史证类备用本草》，蒙古平阳张存惠晦明轩刻本

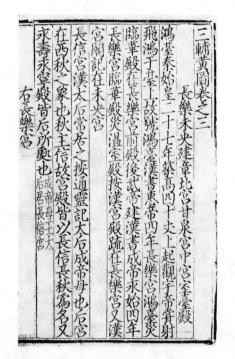

图1-3-23　《三辅黄图》，元致和元年（1328）建安余氏勤有堂刻本

展。民间印刷作坊最著名的有：南经坊沈二郎、睦亲坊沈八郎、勤德堂、沈氏尚德堂等。他们所印书籍出现了新的品种，即戏曲书，如关汉卿的《关大刀单刀赴会》、尚仲贤的《尉迟恭三夺槊》等，这些版本都冠以"古杭新刊"，未载何家所刻。建阳的印刷业起源于宋代，到元代，这里的印刷业又有所发展，可考的书坊数十家，以余氏、刘氏、虞氏、詹氏、蔡氏等家印书量最大。崇化余志安的勤有堂［图1-3-23］，不但刻书数量多，而且质量好。建阳叶日增的广勤书堂，是元代兴起的一家印刷作坊。所刻印书籍以医学类为主。元代民间印刷业除以上三地外，在其他地区也分布着一批民间印刷作坊。

丙、刻印内容

由于政府的倡导，元代的佛经印刷很活跃。南宋开始雕印的《普宁藏》和《碛砂藏》，到元代全部刻印完成。元代还刻印过蒙文、藏文、西夏文的佛经。蒙古时期，政府就开始印造发行纸币。发行的纸币有中统元年（1260）起印造发行的"中统交钞"和始印于至元二十四年（1287）的"至元通行宝钞"，至大二年（1309）又印造一种"至大银钞"，但使用时间不长。此外，还印造盐、茶、矾、铁等引的有价证券。

丁、刻印特点

元版书的字体，除继承宋版，多用颜、欧、柳等名家书体外，选用当时书法家赵孟頫书体刻版，成为一种风气。元代书籍的版式，仍继承宋代风格。而最大的改革，是在书籍的书名页版式上，特别是建阳刻本中，出现了最早带图的书名页。元代的书籍装帧形式常见的为蝴蝶装、包背装。

二、活字印刷术的发明

当雕版印刷发展到较高水准时，人们已感到每印一本书都要重新雕版，造成人力物力浪费很大，因而极力寻找一种更便捷的印书工艺。在这种历史环境下，活字印刷术就发明了。

北宋沈括（1031—1095）在《梦溪笔谈》中记载：“庆历中，有布衣毕昇，又为活版。其法用胶泥刻字，薄如钱唇，每字为一印，火烧令坚。先设一铁板，其上以松脂蜡和纸灰之类冒之，欲印则以一铁范置铁板上，乃密布字印，满铁范为一板，持就火炀之，药稍镕，则以一平板按其面，则字平如砥。若止印三、二本，未为简易；若印数十百千本，则极为神速。常作二铁板，一板印刷，一板已自布字，此印者才毕，则第二板已具。更互用之，瞬息可就。每一字皆有数印，如‘之’、‘也’等字，每字有二十余印，以备一板内有重复者。不用则以纸贴之，每韵为一贴，木格贮之。有奇字素无备者，旋刻之，以草火烧，瞬息可成。不以木为之者，木理有疏密，沾水则高下不平，兼与药相粘，不可取。不若燔土，用讫再火令药镕，以手拂之，其印自落，殊不沾污。”［图 1-3-24］这段文字明确说明，北宋庆历年间（1041—1048）毕昇采用活字排版印刷过书籍，造活字材料是胶泥。文中还详细介绍了造字、摆字、刷印、贮字的方法，由此可见，毕昇发明的活字版，已具完整的工艺技术。一般学者都依据沈括这一记载认定，北宋庆历年间的毕昇在世界上首创活字印刷术。由于记录这项发明的沈括是钱塘（今浙江杭州）人，杭州是浙地刻书业的中心，而毕昇活字终为沈氏亲属所得，故不少学者认为毕昇发明

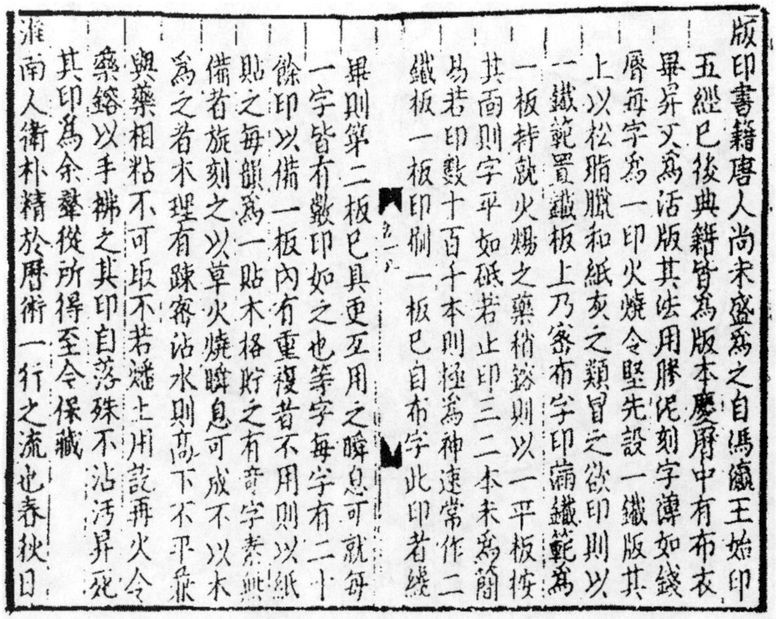
版印書籍唐人尚未盛爲之自馮瀛王始印五經已後典籍皆爲版本慶曆中有布衣畢昇又爲活版其法用膠泥刻字薄如錢脣每字爲一印火燒令堅先設一鐵版其上以松脂臘和紙灰之類冒之欲印則以一鐵範置鐵板上乃密布字印滿鐵範爲一板持就火煬之藥稍鎔則以一平板按其面則字平如砥若止印三二本未爲簡易若印數十百千本則極爲神速常作二鐵板一板印刷一板已自布字此印者纔畢則第二板已具更互用之瞬息可就每一字皆有數印如之也等字每字有二十餘印以備一板內有重複者不用則以紙貼之每韻爲一貼木格貯之有奇字素無備者旋刻之以草火燒瞬息可成不以木爲之者木理有疎密沾水則高下不平兼與藥相粘不可取不若燔土用訖再火令藥鎔以手拂之其印自落殊不沾汚昇死其印爲余羣從所得至今保藏

淮南人衛朴精於曆術一行之流也春秋日

图 1-3-24　《古迁陈氏家藏梦溪笔谈》，元大德九年（1305）刻本

"活版"的地点在杭州。

近年来,学术界关于活字印刷术起源时间问题,又有一些新的观点。一是"五代说",其根据是元岳浚在《九经三传沿革例》中提到五代后晋"天福铜版"。张秀民等学者认为这是以整块铜刻版而成的。也有学者指出九部经书有四十余万字,刻成铜版,在经济实力上难以负担,只有用铜活字摆印才有可能,其年代为公元936年至943年,比毕昇还要早100年。二是"宋代景祐说"。其文献依据是明崇祯刻本《梦林玄解》(中国科学院图书馆藏)载宋孙奭《圆梦秘策叙》称:"镌金刷楮,敬公四海……景祐三年(1036)四月上浣休休老人孙奭叙于《圆梦秘策》之端。"有学者认为,这里的"镌金"以镌刻铜活字的可能性为最大。这些说法原文过简,缺少旁证,不便肯定。但可以肯定地说,中国在北宋庆历年间已开始有了活字印刷术。

活字印刷术的发明,是印刷史上又一伟大的里程碑。继毕昇之后,宋元时代,人们用泥、木、锡进行过各种造字实践活动,又用所造之字印刷过书籍。这一时期的活字与活字印本虽很少存世,但当时学者的著述中却时有记载。宋光宗绍熙四年(1193),周必大在潭州(今湖南长沙)用沈括所记的方法,以胶泥铜版刷印其自著的《玉堂杂记》,说明活字印刷术在南宋被实际用来刷印书籍。蒙古太宗十三年至宪宗元年(1241—1251)姚枢(1201—1278)教学生杨古用"沈氏活版",刷印了《小学》和《近思录》、《东莱经史说》

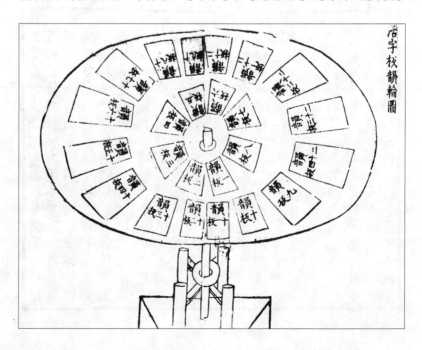

图 1-3-25　转轮排字架

等书。元成宗大德二年（1298），元朝农学家王祯，制造木活字3万多个，制造转轮排字架［图1-3-25］和运用转轮排字法，印成《旌德县志》百部，并在《农书》末刊印了他自著的《造活字印书法》，这是最早系统叙述活字印刷术的重要文献，记录了瓦（泥）、锡、木数种活字印书方法，为后世留下了宝贵的印刷史料。其后，马称德于元至治二年（1322）"活书板镂至十万字"，用所镂活字印成《大学衍义》等书。这些材料说明，活字印刷术在元朝也得以运用并发展。

　　由于活字印刷术在古代中国未被普遍运用，而人们往往又有物以稀为贵的心态，因此古代活字印本自然被收藏家视为珍秘之本，于是我们今天还可以领略到各个时期活字印本传世之作的多彩风貌。中国宋元时期活字印本，存世非常稀少。目前，二十世纪发现的西夏文活字印本佛教书籍已为学术界所认可。如1989年在甘肃武威亥母洞寺遗址发现的《维摩诘所说经》［图1-3-26］，有关学者认定为公元十二世纪中期的泥活字印本。1991年宁夏贺兰县拜寺沟方塔出土西夏文佛经《吉祥遍至口和本续》［图1-3-27］，经专家考证为十二世纪后期木活字印本。而早在1909年，以科兹洛夫为首的俄罗斯考察队在中国的西夏黑水城遗址（今属内蒙古额济纳旗）发现的大批西夏文献中，就有几种活字印本，有一种与武威出土的《维摩诘所说经》为相同版本。这么多早期活字印本的

图1-3-26　《维摩诘所说经》，西夏泥活字印本

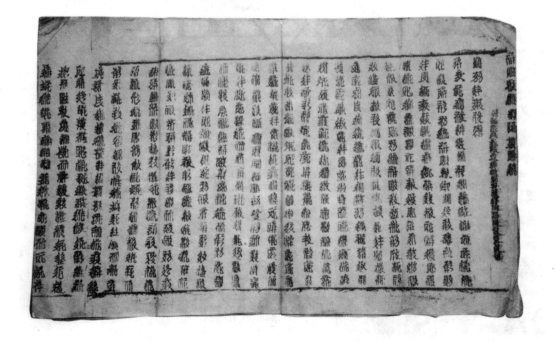

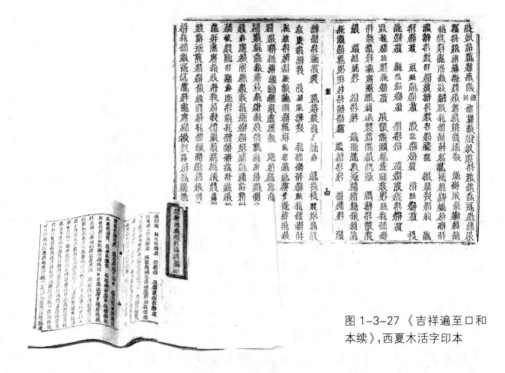

图 1-3-27 《吉祥遍至口和本续》,西夏木活字印本

图 1-3-28 《佛说观无量寿佛经》,北宋印本

发现,说明与宋同时期的西夏,广泛应用了活字版印刷。汉文活字印本目前尚存在争议,如 1965 年在浙江温州市郊白象塔内出土的《佛说观无量寿佛经》[图 1-3-28]有人认为是北宋活字印本,也有人认为是雕版印本;而国家图书馆所藏《御试策》有人认为是元代木活字印本,也有人认为是朝鲜铜活字印本。

另外,二十世纪初,法国人伯希和曾在敦煌石窟发现了几百个回鹘文木活字（今藏巴黎吉美亚洲艺术博物馆）。由于古代回鹘人活动的西域地区,处于中原与西方的中间地带,而回鹘文字与西方文字同属拼音文字,因此回鹘文木活字,有可能起着毕昇发明泥活字与谷登堡制造铅合金活字之间的桥梁作用,在印刷史上具有十分重要的意义。

总之,宋元时代,人们用泥、木、锡进行过各种造字实践活动,又用所造之字印刷过书籍。这一时期的活字与活字印本虽很少存世,但当时学者的著述中却时有记载,这些材料可以充分证明中国是活字印刷术的故乡。

三、套色印刷术的发明

套色印刷术是在单色雕版印刷术的基础上发展起来的，它也是中国人民对世界印刷史的一项重大贡献。

套印书籍的出现与手抄多色书籍相关。在手工抄写的年代，为了达到方便阅读或美化页面的效果，人们采用了朱、墨两色或多种颜色来抄书、写书。《隋书·经籍志》著录的书籍中，有东汉时期贾逵（30—101）撰写的《春秋左氏经传朱墨列》，说明贾逵已采用朱墨两种颜色来分别书写经文和传注了。不过时间一长，辗转传抄，也难免将经注互相混淆，发生错误。

多色套印术源自西汉时期织物印染中的多色印花。1983年广州南越王墓出土的两件铜质印花凸版，证明中国西汉时期，就已经掌握了多套色凸版印花技术［图1-1-46］。普通雕版印刷，一次只能印出一种颜色，基本上为墨色，若是第一次刷印，有时会选用红色或蓝色。这种印刷称为单版单色印刷。套色印刷则是在一张纸上印出几种不同的颜色。起初，人们是在一块版上的不同部位分别涂上不同的颜色，一次印成，可称为单版复色印刷，也有人称之为单版涂色印刷。后来发明了将需要不同颜色的部分，分别刻版，逐色套印到一张纸上的技术。这种印刷技术叫做套版复色印刷，简称套版印刷。在套版印刷发明的初期，主要用朱、墨两种颜色，随着技术的进步，发展出用三色、四色、五色甚至更多色来套印图书，随后又出现的"饾版"、"拱版"印刷方法，标志着套版印刷技艺进入了成熟阶段。

套色印刷术究竟何时起源的？目前还没有人能明确回答这一问题。

从出土实物看，1974年在山西应县木塔中，发现了三幅辽统和年间（983—1012）绢本彩印《南无释迦牟尼佛像》［图1-3-29］。从画面看，画面左右人物、图案对称排列，而"南无释迦牟尼佛"七字，左正右反，显然是采用始于秦汉的夹缬印花法印制的。这种印法是春秋战国时期已出现的织物型版漏印的延伸，还不能算真正的套色印刷术。

1973年陕西博物馆在修复西安碑林《石台孝经》时发现了三色彩印版画《东方朔盗桃》［图1-3-30］，画面浓墨、淡墨、浅绿色间错，桃叶用淡绿色，潘吉星先生认为是单版复色印刷品，为十二世纪初印于金平阳府（今山西临汾）。王树村主编《中国年画发展

图 1-3-29 《南无释迦牟尼佛像》，辽统和绢本彩印

图 1-3-31 《金刚般若波罗蜜经》，元至正元年（1341）中兴路资福寺刻朱墨印本

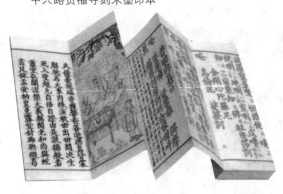

史》称其"可认作我国彩印年画之最早者"。

从文献记载看，南宋李攸（1101—1171 在世）《宋朝事实》谈到宋代发行的 "交子"（纸币）时写道："同用一色纸印造，印文用屋木、人物，铺户押字，各自隐密题号，朱墨间错。"潘吉星先生考证这种纸币属于单版双色印刷品。

如果以上说法能够证实，就可以认为中国的套色印刷至少在宋代已出现了。

二十世纪四十年代，在南京的中央图书馆发现一部元至正元年（1341）中兴路（今湖北江陵）资福寺刻印的《金刚般若波罗蜜经》［图 1-3-31］，其经文为红色，注文为黑色，卷首所刻灵芝图也是两色相间的。此经今藏台湾。亲睹此经的李致忠先生认为，其版印朱墨洇浸，应是一版分色套印之物。而亦见过此经

图 1-3-30 《东方朔盗桃》,金平阳三色彩印版画

的肖东发先生说,从画面树干与云彩处可见两块版是断开的,有一二毫米的距离,因而应是分色分版套印的。说明单版复色与套版复色不是很容易区别的,关于此经的具体印制方法,学术界尚需进一步研究、探讨。但有一点可以明确,那就是中国套色印刷术用于印书的时间,至迟不会晚于十四世纪的元朝。

第四章　延续时期(明清)

公元 1368 年,明太祖朱元璋(1328—1398)建立明朝(1368—1644),以南京为首都,并派兵直取大都(今北京),结束了元朝统治。明太祖死后,其第四子朱棣(1360—1424)夺建文帝朱允炆之位,称成祖,迁都北京。

明朝是在中国历史上出现的又一个强大的王朝,也是当时亚洲的一个强国。尤其从明中叶弘治、正德起,社会经济在经历了较长时期的休养生息之后,出现了相当繁荣的局面。从这一时期起,印刷业规模大、品种多、地域分布广。雕版印刷技术更为精湛,涌现出一大批雕版高手,除雕版印刷外,活字、套色印刷也得以实际运用与发展,而且专用印刷字体开始成熟并广泛应用。

清朝与元朝一样,都是由文化落后的民族凭借武力取得政权的,加上最初努尔哈赤从小被抚养在明朝名将李成梁(1526—1615)的帐下,已接受了汉族文化的熏染,因此清朝统治者为维护其统治地位,继续在政治制度与经济文化诸方面,学习和效仿汉族旧有的模式。经过多年努力,到了乾隆时期,清朝的经济文化发展达到顶点,已经成为一个幅员广阔、国势强大的统一封建国家。因而在清朝极盛的最初一个半世纪时期,中国古代的各种传统印刷技术,包括雕版、活字、套色印刷等,不仅在继续应用,而且也得以相应发展。

公元 1840 年爆发的中英鸦片战争,标志着中国历史近代时期的开始。西方列强为了打开古老中国的大门,掠夺中国的财富,发动了一系列侵略战争。这一时期的入侵者,不仅拥有物质力量的优势,而且也具有智力的优势,这是与过去中国多次遇到的落后游牧民族入侵者所不同的。为了实现对中国的精神统治,伴随着枪炮声,西方科技与思想文化,也被主动"送"入中国,现代印刷术就是其中重要的一项。与此同时,中国传统的手工雕版、活字、套色等传统印刷术仍有人在使用并改进着，但由于技术落后，最终失去了千年的统治地位。

一、雕版印刷术的兴衰

（一）明代的雕版印刷

明代是我国古代印刷的全盛时期，印刷规模大、品种多、地域分布广。

甲、刻印地区

明代的印刷业分布很广，几乎遍及全国，是古代印刷业最兴盛的时代。重点是南京、北京、建阳、杭州、徽州、苏州等地区。

乙、刻印系统

明政府十分重视印刷，最大的印刷部门是国子监和司礼监，此外如秘书监、都察院、钦天监、太医院、礼部、兵部、工部等部门也都从事印刷。国子监分二，设在南京的称南监［图1-4-01］，设在北京的称北监［图1-4-02］。南京国子监历史久，规模大，刻印经、史、子、集各类书籍二百七十多种，远远超过北监。司礼监是内府最有影响的印刷部门，下属的经厂是一个专门的刻书机构。所刻书有《佛藏》、《道藏》、《番藏》、《大明律》、《贞观政要》等一百七十多种。经厂印本一般刻工和纸墨都很精良，可以代表当时的较高水平。政府其他部门的印书，多与自己的业务范围有关，如礼部印刷过《大明集礼》、《登科录》、《会试录》等书。钦天监负责印造《大统历日》颁行天下。明代地方政府的印刷规模也超过以前，其印刷的内容有地方志、户口黄册、鱼鳞图册等，同时经史子集各类亦均有，印书总数超过两千种。

明代皇室子弟封王，驻各地，称藩王。不少藩王喜著书、印书，其版本称藩本。这是印刷史上的特有现象。由于藩王刻印书的用料、刻工都十分考究，代表了当时当地的较高水准。刻印图书中有部分是藩王自己的著作，如周王朱有燉（1379—1439）是著名的戏曲作家，他自编自刻《诚斋杂剧》31种。在藩府本中，有

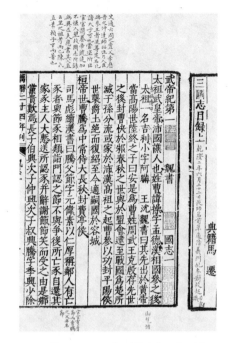

图1-4-01 《三国志》，明万历二十四年（1596）南京国子监刻本

图1-4-02 《十三经注疏》，明万历十七年（1589）北京国子监刻本

不少实用技术与赏玩之书,如医书、棋书、音乐、茶谱、花卉、法帖等,都很珍贵。

明代民间印刷业分布很广,几乎遍及全国各地。南京的民间印刷到明代发展至鼎盛,有书坊九十余家,是书坊最多的地区。南京书坊印刷最多的是各种戏曲、小说,仅唐对溪富春堂就刻印戏曲近百种,如《三顾草庐记》、《吕蒙正破窑记》等。明代南京书坊,还刊刻了《三国志传》、《西游记》等小说,《济生产宝论方》、《针灸大成》等医书。明代北京的印刷作坊著名的有十几家,较著名的有永顺书堂、金台岳家、二酉堂、高家经铺等。明代建阳的印刷业仍持续发展,有书坊八十多家。明代后期,由于其他地区印刷业的发展,使建阳印刷业有所衰落。明代杭州有书坊二十多家,最著名的容与堂刻印有《水浒传》、《红拂记》、《琵琶记》等小说、戏曲作品。胡文焕是杭州有名的藏书家,刻印的书以丛书称著,如《格致丛书》一套就有二百多种著作。徽州一带历来是纸、墨、笔、砚文房四宝的产地,还以多出刻版高手而闻名。刻印书籍以插图版画称著,且多出自黄、汪、刘三姓之手,尤以黄姓为多,可称徽州的代表。明代苏州的民间印刷业十分兴盛,在阊门和金门一带,集中着一批印刷作坊。在苏州府所属的常熟县,有一著名的刻书之家,就是毛晋的汲古阁。毛晋(1599—1659)是明代藏书家与出版家,他最多时雇工上百人从事刻印工作,所刻《十三经》、《十七史》、《津逮秘书》、《六十种曲》等,含经史子集各类书六百多种,在印刷史上占有相当的地位〔图1-4-03〕。汲古阁刻书有人称为"坊刻",也有人称为"家刻",说明二者实很难区分。

丙、刻印内容

明代刻印图书经史子集均有,最有特色的是小说、戏曲及各种通俗读物,以及《天工开物》、《农政全书》、《几何原本》、《远西奇器图说》等中国本土与西方传入的科技类图书。

图1-4-03 《四书集注》,
明毛氏汲古阁刻本

丁、刻印特点

　　明代是古代印刷技术发展的高峰，除了印书品种多、质量精外，在印刷技术方面，也有新的发展。明代中期，一种横平竖直、横轻竖重、字形方正的字体，广泛使用于版刻，这就是所谓的"宋体"字，俗称"匠体"字，今天它仍是出版物的主要字体。张秀民先生认为，这种字体与真正的宋版书并无相同之处，应改称"明体字"。随着印刷术的发展，插图本书籍愈来愈多。明代图版刻印技术之所以发展，一是出现了一批雕刻高手，为提高图版质量提供了技术基础，明代的图版雕刻，以徽派刻工最为著名，除部分在当地献艺外，大部分被南京、苏州、杭州等地书坊所聘用；二是一批著名画家参与画稿，为图版提供高水平的原作［图1-4-04］。明代图书装帧形式流行包背装，中后期民间开始出现不少线装图书。

　　（二）清代的雕版印刷术

　　到了清代，我国传统的印刷技术新的突破较少，只是在应用领域更为广泛，技艺更为熟练。清代后期，西方的铅印、石印等近代技术开始传入我国，逐渐代替了原有的传统技术工艺，我国的雕版印刷技术最终退出了主流出版业的舞台。

甲、刻印地区

　　印刷业几乎遍及全国各地，北京、苏州、广州一带最为兴盛。

乙、刻印系统

　　清政府十分重视印刷。顺治至康熙初年，印书由内务府管理，所刻版本称"内府本"，顺治时所刻《大清律》是清内府最早的刻书之一。康熙十九年（1680），设立修书处于武英殿，掌管书籍的编、印、装，并有一定数量的写、刻、印工匠。所印书籍称为"殿版"。武英殿印书约三百多种，著名的书籍有《十三经注疏》［图1-4-05］、《二十一史》等。

　　清代后期地方政府设立的印书机构称"官书

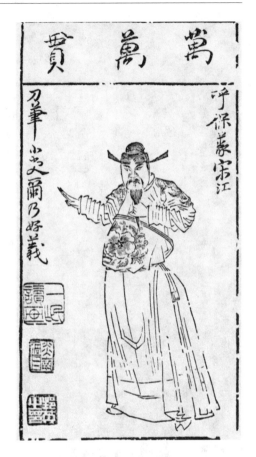

图1-4-04　陈洪绶绘《水浒叶子》，
明崇祯六年（1633）木刻版画

图1-4-05 《十三经注疏》,清乾隆四年
(1739)武英殿刻本

图1-4-06 《唐文粹》,清光绪九
年(1883)江苏书局刻本

局",为清代所独创。张秀民先生认为清同治二年(1863)曾国藩首创金陵书局(光绪初改名为江南官书局),为清各省官书局之始,其后相继成立的有江楚书局、苏州书局 (又名江苏书局)[图1-4-06]、淮南书局、浙江书局、江西书局、湖北崇文书局、广东广雅书局等,印书量很大。清代书院约七百多处,遍布各省,书院印书也不少,如东湖书院刻《水云集》、三间书院刻《广东文选》等。

清代民间印刷业几乎遍及全国各地,特别是北京和苏州的印刷业,最为兴盛。在北京的琉璃厂、隆福寺等地区,有印刷作坊上百家,而苏州有印刷作坊几十家。除此以外,江浙的杭州、金陵、常州、扬州、无锡等地,以及广东的广州、佛山,都集中着较多的印刷作坊。清代私家刻书也很繁荣,而且产生不少手写软体字的精美刻本[图1-4-07]。

丙、刻印内容

除了经史子集各类外,出现了新的印刷种类,如证件、契约、请柬、邮票等。

丁、刻印特点

清代刻书在版式上多沿袭明代风格。字体上多见以横平竖直、横轻竖重的匠人字体,但也有由精于书法者写样上板刻书的字体,称为"软体字"。此外,从康熙年间开始,刻书中常有避讳字。清代书籍流行的装帧形式线装,包背装也时而可见。

二、活字印刷术的发展

(一)明代活字版印刷术

在《中国古籍善本书目》中,著录为活字印本的最早一部书是明弘治三年(1490)华燧会通馆铜活字印本《会通馆印正宋诸臣奏议》[图1-4-08],由于西夏文活字印本佛教书籍的发现,这部弘治印本并不算现存最早的活字印刷品,而且有学者据相关文献的记载,认为它是锡活字而非铜活字印本,但无论如何,它可以被视为现存最早的金属活字印图书。

如果将《中国古籍善本书目》中所有的活字印本按照时间先后排序,就会发现一个奇特的现象,即中国古代铜活字印本,大部分出现于弘治至嘉靖间。为什么会有这种情况呢?

周叔弢(1891—1984)先生说:"中国印书用活字版,始于宋庆历中毕昇胶泥活字版。继之者元王桢(祯)梨版活字,所印书世无传本。越一百数十年至明弘治朝铜活字所印书始大显于世。活字印书中断之故不可解。明代复兴,余颇疑是从朝鲜传播而来。载籍无征,不敢臆定。"而赵元方先生云:"凡铸铜活字,用铜必多,非富家不办。明初铸钱尚不给,何有于活字。其实商贾富家,旧者已破,新者未兴,亦无若大资力也。至弘、正之间,商力渐充,海上交易亦盛,而产铜日旺,故嘉靖初曾补铸九朝之钱,足征铜富。活字之兴,恰在其时,固有由也。厥后征榷日繁,铜产更减,万历矿税苛政,安、华二家其能免乎?

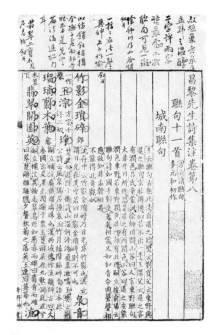

图1-4-07　《昌黎先生诗集注》,清康熙三十八年(1699)顾氏秀野草堂刻本

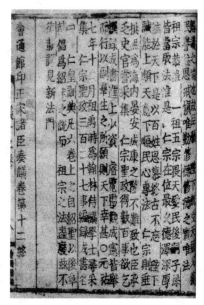

图1-4-08 《会通馆印正宋诸臣奏议》,明弘治三年(1490)华燧会通馆铜活字印本

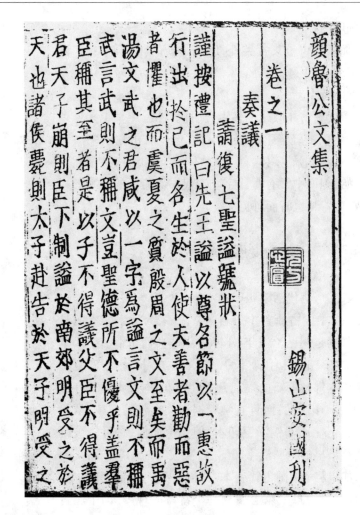

图 1-4-09　《颜鲁公文集》，
明嘉靖安国安氏馆铜活字印本

故木活字代之而起也。即一活字之兴衰，亦可见上下之争矣。清代
乾隆毁铜活字，亦此故也。"二说均是猜测，无法证实。另外，潘天祯
先生认为"活字铜版"之活字不是铜字，而是锡字，此论如果证实，
周、赵二先生之说均较难成立，因中国在宋元之际已能 "注锡作
字"了。

　　明代活字制作和运用遍及江苏、浙江、福建、广东等地，印刷书
籍约有百多种。使用活字印刷最著名者是无锡的华燧（1439—
1513），他先后制成大小两副铜活字，所印书籍可考者有十几种，流
传下来的也不少，主要有《宋诸臣奏议》、《锦绣万花谷》、《容斋随
笔》等。华燧的叔父华珵，也采用活字印书，传至现今有《渭南文
集》。华燧的侄子华坚，同样以用铜活字版印书而称著。他于正德八
年（1513）印成第一部书《白氏长庆集》，随后又排印了《蔡中郎文
集》、《艺文类聚》、《春秋繁露》等书。无锡另一家使用铜活字印

刷的是安国。他所印的第一部书是《东光县志》,后又排印了《吴中水利通志》、《颜鲁公文集》[图 1-4-09]、《重校鹤山先生大全文集》等书。

《中国古籍善本书目》中著录明朝活字印刷之本共 117 个编号,除 57 个著录为"铜活字印本"外,其余著录均为"活字印本",这是版本学界不成文的习惯,即木活字与搞不清的均不著录制字材料。实际上这是不太合理的,尤其是像清代武英殿"内聚珍本"连详细制法都有的木活字印本也不说明,只会给人增加误解。由于缺乏文字描述,那些非铜活字印本现在并不能肯定均为木活字印本,仔细研究,或许会有惊人的发现。

活字印刷术从技术层面来分析,还是有进步的。明陆深(1477—1544)著《俨山外集》有"近时毗陵人用铜、铅为活字"之语,这种中国自制的铅活字,虽然至今未发现存世印本,但却与世界主流的欧洲铅合金活字出现的时间较为接近。西方的铅活字印刷术明朝时曾在境内有过短暂的停留。明万历十八年(1590),欧洲传教士在澳门用西方铅活字印刷拉丁文《日本派赴罗马之使节》。这是中国境内首次采用西方铅活字印刷书籍。

（二）清代活字印刷术

清代活字印本相对于以前各代来说,存世数量较多,印刷方式也丰富多彩,历代出现的泥活字、木活字、锡活字、铜活字等都有应用。造成这种状况的一个重要原因是由于清朝政府直接组织人力、物力造活字刷印图书,如清政府于雍正时镌铜活字刊行字数达 1.6亿的《钦定古今图书集成》[图 1-4-10],又于乾隆时造木活字刷

图 1-4-10　《钦定古今图书集成》,清雍正四年(1726)内府铜活字印本

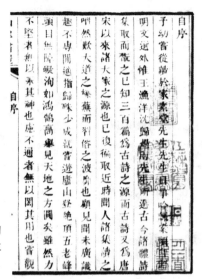
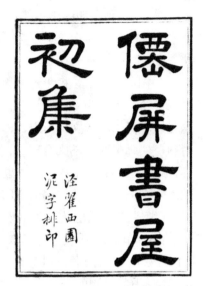

图 1-4-11　《仙屏书屋初集诗录》，清道光二十七年（1847）翟金生泥活字印本

印篇幅达数千卷的《武英殿聚珍版书》等。这种直接参与的行为，无形中推动了民间活字印刷术的运用与发展，出现了《红楼梦》、《万历野获编》等活字印本的不朽之作，而吕抚、李瑶、翟金生、林春祺等人以较大精力从事活字制造或改进工作，所印传世之作虽不多，却风格各异，具有较高的观赏价值[图 1-4-11]。另外，清康熙徐志定真合斋磁版印本《周易说略》[图 1-4-12]与清乾隆公慎堂所印《题奏事件》等书，由于缺少印制过程的文字描述，仅凭目测，有人以为整版，有人以为活版，至今没有定论。

　　清朝除了出现不少活字印刷书籍外，也产生了一些记录活字印刷实践情况的文献，如清金埴《巾箱说》载，清康熙五十六七年间，泰安州有士人"为活字版"，许多学者认定此文所指为造瓷版的徐志定。尤其是当事者本人对活字印刷术细节描述的专篇或专著问世，为今日研究这一时期重要的活字印刷活动提供很大帮助。如清乾隆元年（1736）前后，浙江新昌吕抚创活字泥版印刷工艺，印刷了自著《精订纲鉴二十一史通俗衍义》[图 1-4-13]一书，在卷二十五中附有专文，详细介绍整个的印刷工艺过程，并画出各种工具之详图，为世界确知的泥版印刷之始。又如清乾隆三十九年（1774），武英殿刻成大小枣木活字 25 万余个，印成《武英殿聚珍版书》。主办人金简把这次制造木活字印书的经过，分别条款，绘图说明，写了一部详细记录，并用这套聚珍版木活字排印，题名《武英殿聚珍版程式》[图 1-4-14]收入丛书。再如清道光五年至二十六年（1825—1846）福州林春祺用 21 年时间，耗资二十余万金，刻

图 1-4-12　《周易说略》，清康熙五十八年（1719）徐志定真合斋磁版印本

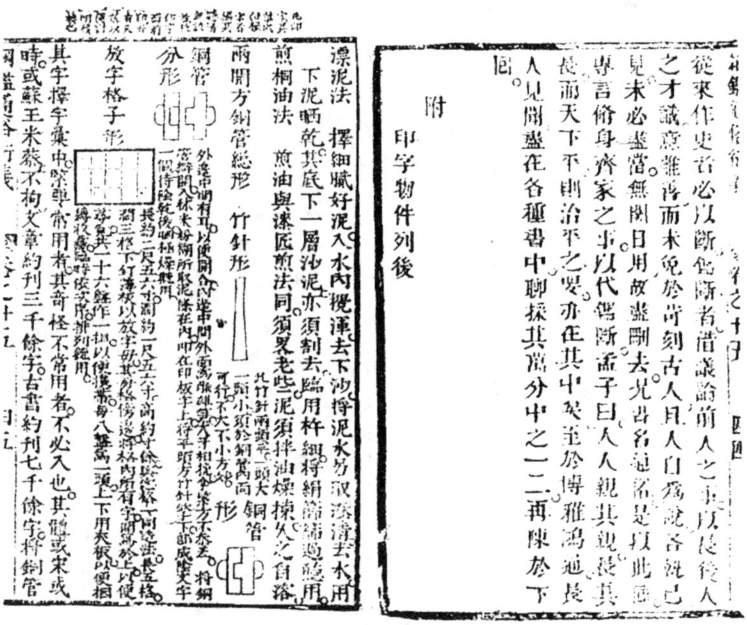

图 1-4-13 　《精订纲鉴二十一史通俗衍义》,清吕抚活字泥版印本

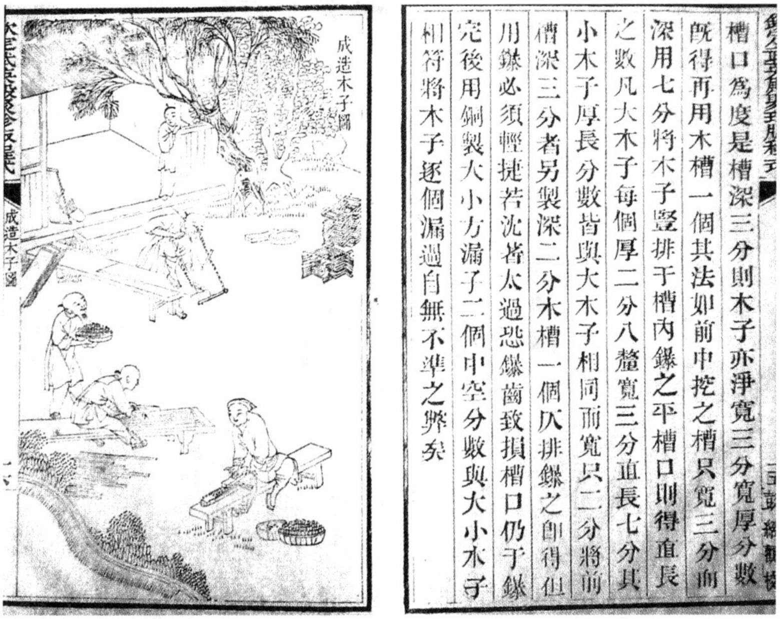

图 1-4-14 　《武英殿聚珍版程式》,清乾隆武英殿活字印聚珍版书本

制大小铜活字各 20 余万,在用这套铜活字印刷的《音学五书》卷首,林氏写有一篇《铜板叙》[图1-4-15],记录了他"捐资兴工镌刊"铜活字之起因及经过。

清代后期,西方现代铅活字印刷术传入东方,出现了《六合丛西捐資興工鐫刊時春祺年十八至丙午而銅字板告成古今字體悉備大小書籍皆可刷印爲時二十載計刻有正韻筆畫楷書銅字大小各二十餘萬字爲之實難成更不易中間幾成而不成者屢矣今幸成此銅板則古今宿儒碩彥有所著述無力刻板與夫已刻有板而湮沒者皆可刷而傳之於不朽是春祺不惜耗貲二十餘萬金辛苦二十年半生心血銷磨殆盡岌岌乎黽勉成此庶亦

勿忘夫　祖與　父之夙志云爾春祺世籍本古閩福清之龍田因即名此銅板爲福田書海云

古閩　怡齋林春祺誌

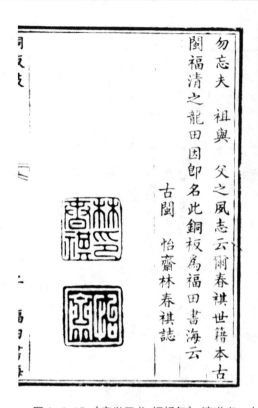

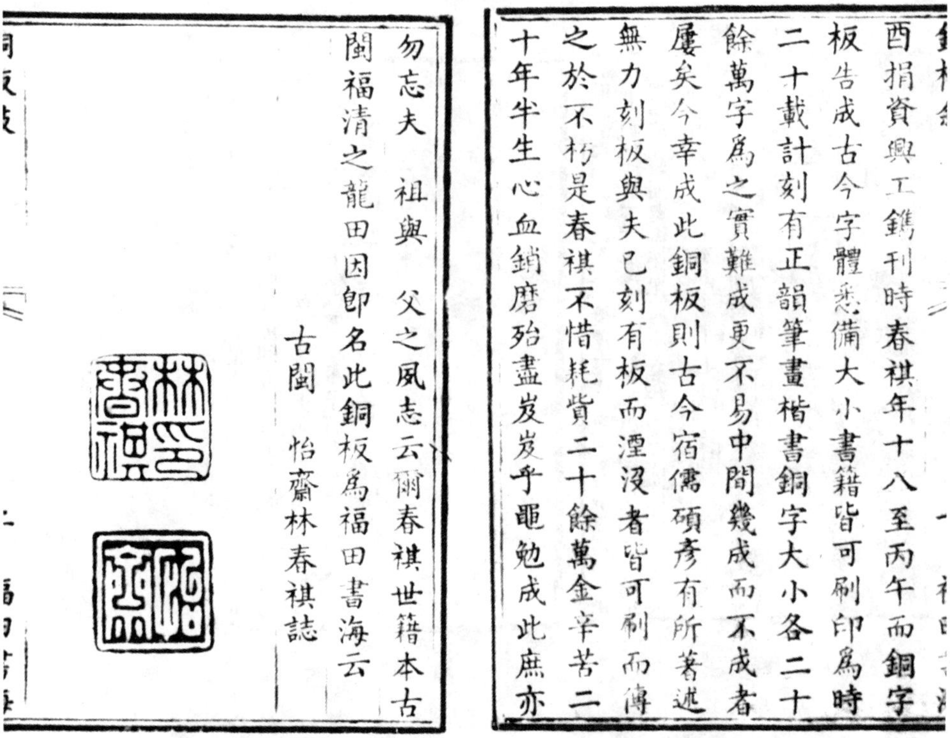

图 1-4-15 《音学五书·铜板叙》，清道光二十六年（1846）林春祺福田书海铜活字印本

無可奈之時，當萬不得已之勢，若不自立政治，是自不有生命也。遂告民曰，歷代以來，苟非政猛於虎，民不聊生，斷未有畫地自封者。今王所行若此，是迫我創立邦國也。嗣今以後，永遠不奉英法矣。於時十三邦遂盟爲一，而聯邦之名乃由此始，聯邦之國乃由此開，此我民之所以脫英軛也。

建國立政

大宇內之國政，大要不同者有三。一曰權由上出，惟君是專，如中華、安南、土耳其等國是也。一曰君民同權，相商而治，如英、法等國是也。一曰君非世及，惟民所選，權在庶民，君供其職，如我聯邦國是也。夫我聯邦之政，法皆民立，權不上操。其法之已立者，則著爲定例，上下同

聯邦志畧　上卷　建國立政　七十五

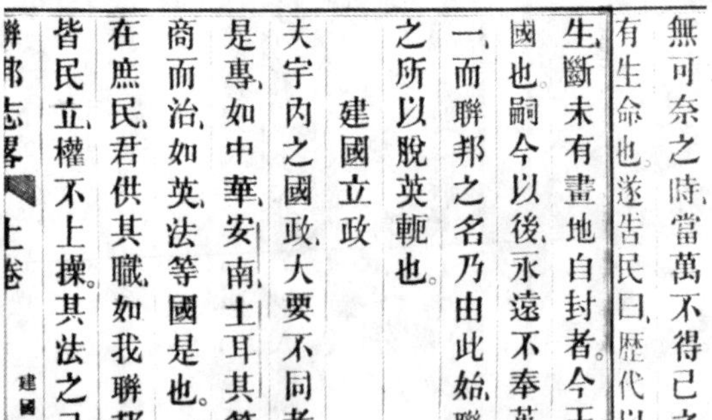

图 1-4-16 《大美联邦志略》，清咸丰十一年（1861）墨海书馆铅印本

谈》、《大美联邦志略》[图 1-4-16]、《格致汇编》等大量汉文铅印本书刊，中国传统的活字印刷术虽与之并行一段时期，但由于技术落后，最终为之所取代。

三、套色印刷术的发展

（一）明代的套色印刷术

由于套色印刷技术比较复杂，不易推广，所以很长一段时间没有被普遍应用。在《中国古籍善本书目》中著录的最早一部套色印本是明正德元年刻彩色印本《圣迹图》，“彩色印本”在该书目中是用来著录在一块版上涂上几种颜色的单版复色印本的，同类的印本还有明万历程氏滋兰堂刻彩色印本《程氏墨苑》和明刻彩色印本《花史》。

现在所常见到的套版复色印本，多为明万历、天启年间吴兴（今浙江湖州）闵氏、凌氏所印。闵氏最著名的是闵齐伋，他以朱墨套印《春秋左传》、三色套印《杜子美七言律》等。闵氏三十多人都参加了套版印书事业，如闵齐华、闵光瑜、闵绳初等[图 1-4-17]。闵氏所刻书籍内容丰富、品种多样，经、史、子、集四部皆备。

在闵氏刻书活动稍后，吴兴的凌氏也开始了套版印刷事业。以凌濛初（1580—1644）最为著名，套版印书有《诗选》、《陶靖节

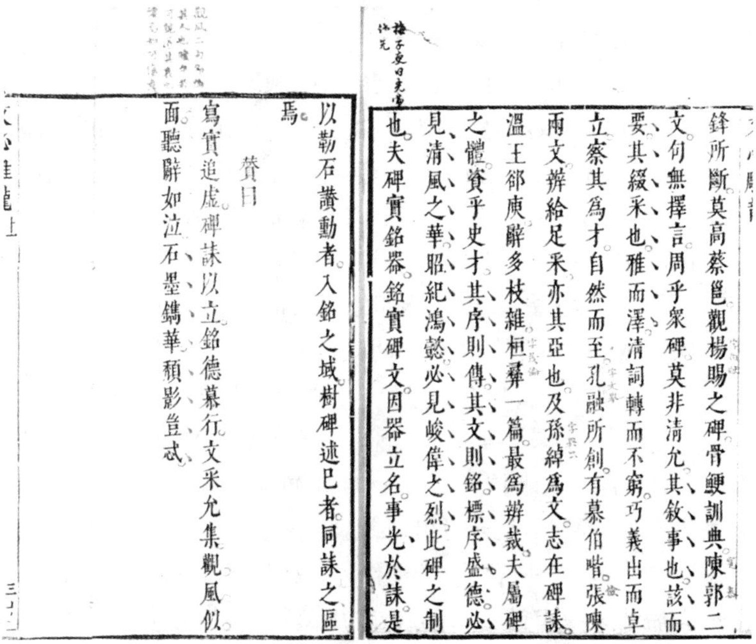
銘所斷莫高蔡邕觀楊賜之碑骨鯁訓典陳郭二
文句無擇言周乎衆碑莫非清允其敘事也該而
要其綴采也雅而澤清詞轉而不窮巧義出而卓
立察其爲才自然而至孔融所創有慕伯喈張陳
兩文辨給足采亦其亞也及孫綽爲文志在碑誄
溫王郤庾辭多枝雜桓彝一篇最爲辨裁夫屬碑
之體資乎史才其序則傳其文則銘標序盛德必
見清風之華昭紀鴻懿必見峻偉之烈此碑之制
也夫碑實銘器銘實碑文因器立名事光於誄是
以勒石讚勳者入銘之域樹碑述已者同誄之區
焉

贊曰

寫實追虛碑誄以立銘德慕行文采允集觀風似
面聽辭如泣石墨鐫華頹影豈忒

图 1-4-17　《刘子文心雕龙》，明闵绳初刻五色套印本

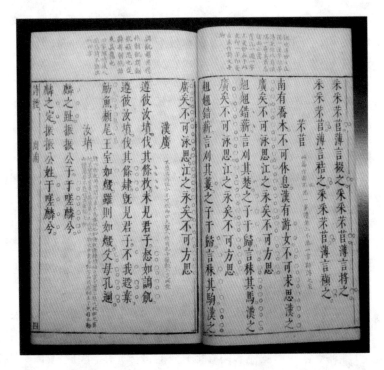

图 1-4-18 《诗经》，
明凌杜若刻三色套印本

集》、《孟东野诗集》、《苏老泉全集》等等。凌氏一族，也有多人争相仿效，如凌玄洲刻朱墨套印本《红拂记》、凌性德刻朱墨套印的《曹子建集》等。除此之外，还有凌杜若刻三色套印本《诗经》[图1-4-18]、凌瀛初刻印的《世说新语》四色套印本，很有特色。

明代闵、凌两家共刻印套版书籍一百多种，为后人留下一批珍贵的文化财富，是印刷发展史上光辉的一页。闵氏、凌氏之外，明代从事套版印书可考的还有茅兆河、聚奎楼、版筑居等家。

分色分版的套版复色印刷进一步发展，就出现更复杂的"饾版"。饾版是将彩色画稿按不同颜色分别勾摹下来，刻成大小不等的小木版，然后逐色依次套印或迭印，最后形成一幅完整的彩色画图。与此同时，还出现了"拱版"，也叫"拱花"，这是用凸凹两版嵌合，使纸面拱起的办法，与现代钢印的效果很相似，富有立体感。对饾版、拱版做出贡献的是明末的胡正言与吴发祥。胡正言印成了《十竹斋书画谱》[图1-4-19]和《十竹斋笺谱》，吴发祥印成了《萝轩变古笺谱》[图1-4-20]。现在通行的说法是，《萝轩变古笺谱》早于胡正言的《十竹斋笺谱》和《十竹斋书画谱》。但据潘天祯先生研究，二者基本上同时出现，很难分先后。

饾版、拱版印刷一直到今天还作为一种传统工艺而存在着。新中国成立后北京荣宝斋、上海朵云轩用饾版、拱版分别复制了《十

图1-4-19 《十竹斋书画谱》，明胡氏十竹斋刻彩色套印本

图1-4-20 《萝轩变古笺谱》，明天启六年（1626）吴发祥刻彩色套印本

竹斋笺谱》、《萝轩变古笺谱》。特别是北京荣宝斋刻饾版达上千块印制《韩熙载夜宴图》，几可乱真，把我国传统套色印刷术推向了新的高度。

（二）清代的套色印刷术

在明代套色印书风气的影响之下，清朝的套版印刷事业，继续发展。尤其在清代前期，宫廷内府应用套版印制了不少质量较高的

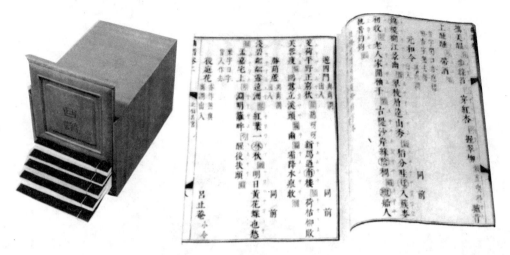

图 1-4-21 《曲谱》,清康熙内府刻朱墨套印本

图 1-4-22 《芥子园画传》,清
康熙芥子园甥馆刻彩色套印本

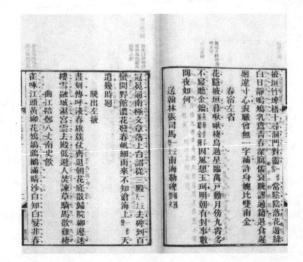

图 1-4-23 《杜工部集》,清刻六色套印本

书籍,如四色印本《御选唐宋文醇》、《御选唐宋诗醇》,朱墨套印的《曲谱》[图1-4-21]、《昭代萧韶》等,清丽醒目、刻印精美,均为内府套印的代表作品。

　　由于套印技术比较复杂,成本亦高,因此民间的套印本书籍发展不大。比较著名的有清康熙芥子园甥馆刻彩色套印本《芥子园画传》[图1-4-22],是用饾版套印的。清代还有涿州卢坤六色套印的《杜工部集》[图1-4-23],也很有名。清代晚期,官私套版印书趋向衰落,印书既少,质量明显低于清初。

　　中国的木版彩色套印,到清代广泛用于年画印刷。其年画印刷作坊,遍及全国各地,在陕西凤翔、山西临汾、四川绵竹、河南朱仙镇、广东佛山、河北武强等地,都集中了一批印刷作坊。尤其是苏州的桃花坞[图1-4-24]、天津的杨柳青、山东潍坊杨家埠等地的年画,最为著名。年画的题材,多为民间喜闻乐见的戏曲故事及表现吉祥、喜庆、丰收等内容,还有门神、灶君等。因而,印刷发行量很大,遍及千家万户。

图1-4-24 《无底洞老鼠嫁女》,苏州桃花坞年画

第五章　中国传统印刷术的外传

一、雕版印刷术的外传

　　中国的雕版印刷术诞生后,很快就向周边国家传播。潘吉星先生认为,日本是继中国之后第二个使用雕版印刷术的国家。他的主要依据是日本文献《续日本纪》和《东大寺要录》的相关记载及存世实物。大致情况为,日本天平宝字八年(764),称德天皇发弘愿造一百万个高四寸五分的三重小木塔,每塔内藏《陀罗尼经咒》,分置十所大寺院保存,完工时间为神护景云四年(770)。日本学者木宫泰彦、秃氏祐祥指出,此次百万塔《陀罗尼经咒》是据中国传来的印刷术刊刻实现的。秃氏祐祥还进一步认为754年东渡日本的唐朝鉴真(687—763)大和尚及其一行人传授了这种技术。目前,原刻经咒及安放经咒的木塔有实物存世,但经咒本身没有明确的时间记载[图1-5-01]。

　　公元984年为宋太宗雍熙元年,日本僧人奝然(约951—1016)入宋求得《开宝藏》,次年携带回国。此藏对日本雕版印刷术的发展影响很大。据日本学者统计,从1009年至1169年佛教典籍的刊印达八千多部,其中日本宽治二年(1088)兴福寺刻印于奈良

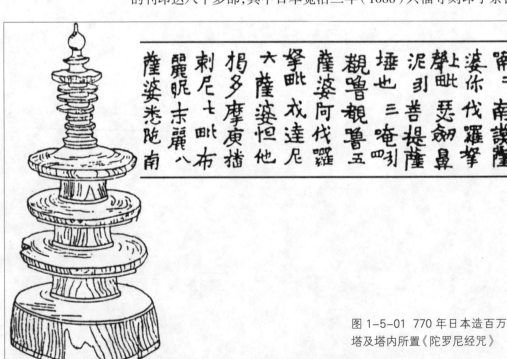

图1-5-01　770年日本造百万塔及塔内所置《陀罗尼经咒》

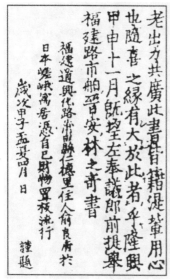

图 1-5-02 《传法正宗纪》与《新刊五百家注音辩唐柳先生文集》，1384 年与 1387 年俞良甫日本刻本

的《成唯识论》，是日本确有年代可考的最早的雕版印刷品。其后，中国非佛教的书籍也在日本印行，最早的是公元 1325 年刻印的《寒山诗集》，而 1364 年刊刻的《论语》是最早在日本印行的儒家经书。十四世纪后半叶，适逢元末乱世，中国版刻工匠俞良甫、陈孟荣等人，东渡日本谋生，参加了当时的刻书工作，使日本与中国在印本风格上更为相近［图 1-5-02］。直到明治（1868—1912）前，雕版印刷一直在日本出版业中扮演着重要的角色。

朝鲜半岛在中国的东部。公元一世纪前后，朝鲜半岛一带形成高句丽、百济、新罗三个古国。公元七世纪中叶，新罗在半岛占据统治地位。公元十世纪初，高丽取代新罗。十四世纪末，李氏王朝取代高丽，定国号为朝鲜。

朝鲜是中国的邻邦，两国之间的交往有上千年的历史。大约在汉末，中国的纸质书就向东传入朝鲜半岛。公元三世纪，造纸术也随之而入。一般学者以为公元 372 年，高句丽国正式开始推行汉字，并引进儒家《五经》等文献施于国子教育。1966 年在韩国庆州

图 1-5-03 《一切如来心秘密全身舍利宝箧印陀罗尼经》，1007 年高丽刻本

佛国寺佛塔内发现的汉字雕版印刷品《无垢净光大陀罗尼经》[图1-2-05]，学者考订认为该经是于唐长安二年至四年（702—704）在洛阳刻印而由僧人带入半岛的。

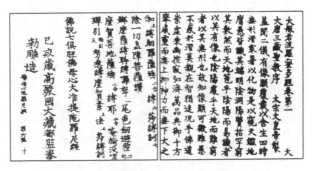

图 1-5-04 《大藏经》，1011—1082 年高丽刻本

公元 1007 年，高丽总持寺所刊《一切如来心秘密全身舍利宝箧印陀罗尼经》是现存朝鲜半岛雕刻的最早印本[图1-5-03]。据潘吉星先生考证，五代吴越国王钱俶所刻经咒，当是高丽本的底本。公元 1011—1082 年，高丽显宗二年至文宗三十六年翻刻汉文《大藏经》，约六千卷，称为高丽版《大藏经》[图1-5-04]，由于这部经版在 1232 年蒙古人入侵高丽时被烧掉，故在 1237—1251 年又重新雕造，共计 6791 卷。此后中国的儒经、史书也在半岛刊行。朝鲜半岛早期刻印本与中国同期刻印本相比，版式、字体及装帧形式都基本相同，说明半岛的雕版印刷术是从中国引进的。

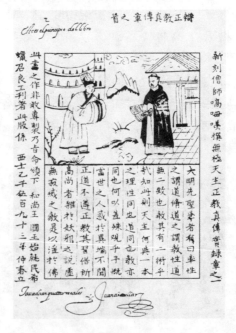

图 1-5-05 《无极天主正教真传实录》，1593 年龚容菲律宾刻本

越南历史上有记录最早的印刷品是陈朝元丰年间（1251—1258）木版印刷的户口帖子。公元1435年，越南雕印《四书大全》，1467年又翻刻了《五经》。

公元1593年，明神宗万历二十一年。福建人龚容（1538—1603，教名约翰·维拉）到菲律宾，在马尼拉刻印《无极天主正教真传实录》[图1-5-05]中文本和太格罗文本。此为在菲律宾有确切证明的第一部印本书，可以说菲律宾的印刷术是由中国人龚容首开其端的。

在蒙古入主中土之前，中国和欧洲很少有直接交往，而成吉思汗西征扩大了中国和欧洲交往的道路。此时正值欧洲十字军东征，东西经济和文化正面相遇，直接进行了交流。欧洲传教士和商人开始陆续到中国来，其中最著名的首推威尼斯人马可·波罗（1254—1324），他于公元1271年自家乡启程，沿古代丝绸之路东行，于公元1275年到达中国，并在元朝任职，留居17年之久。后经其口述，他人笔录，诞生了举世闻名的《马可·波罗游记》一书，首次向西方打开了神秘的东方之门。这部书有一章专门介绍元朝政府制造纸币的情况，虽然今天通行译本称"此种纸币之上，钤盖君主印信"，但张秀民等先生根据有关史料分析，以为元代的纸币是用木版与铜版印刷而成的。后来中国的纸币和纸牌随着商贾行旅流入西方。公元1310年，元武宗至大三年，波斯（今伊朗）史学家拉希德·丁（1248—1318）著《世界史》，书中介绍了中国的雕版印刷术，这部书后来流传到欧洲。现在公认欧洲现存最早的木版画是1898年在法国普洛塔家族中发现的一块胡桃木雕版的残片[图1-5-06]，刻制的时间大约是1380年。而最早的有明确年代的木版画是在德国南部发现的刻于1423年的《圣克利斯道夫像》[图1-5-07]。虽然没有确实证据证明西方印刷术直接来自东方，但从欧洲最初的印刷品来看，以刷子在版上上墨后，从纸背刷印，其技术与中国的印刷品完全一样，所受影响是十分明显的。

图1-5-06 普洛塔木版及印刷的作品

图1-5-07 《圣克利斯道夫像》，1423年刻木版画

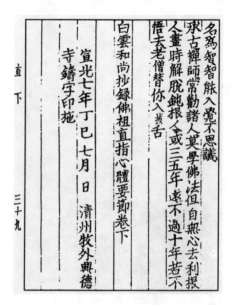

图 1-5-08 《佛祖直指心体要节》，
1377 年高丽铜活字印本

二、活字印刷术的外传

宋元时期，活字印刷术不仅扩散到入侵中土的异族统治地区，而且也传播到邻邦境内。从现在已知的材料看，从高丽时代起，朝鲜半岛就出现了活字印刷术。按照韩国的文献记载，1234 年宰相晋阳公崔怡（1195—1247）用铸字印成《详定礼文》二十八本，这一记载被称为世界最早的使用金属活字印刷的记录。韩国现存最早铸字本是 1377 年清州牧兴德寺印的金属活字本《佛祖直指心体要节》[图 1-5-08]，也被称为存世最古金属活字印本。

从高丽至朝鲜时期，活字印刷术不断发展起来，木、陶、瓢、铜、铁、铅等各种材料均被曾用于制造过活字。据张秀民先生考证，仅 1376 年至 1895 年，已知雕造木活字 28 次，1403 年至 1863 年铸造金属活字 34 次，其中铅字 2 次，铁字 6 次，余皆为铜活字。因此可以说，活字印刷是朝鲜半岛的主流印刷方式。

那么，朝鲜半岛出现活字印刷术，与中国活字印刷术有何关系呢？

公元 1234 年，高丽出现活字印刷术之时，中国正处于南宋理宗端平元年，在此前后，正是中国雕版印刷的黄金时代。高丽使节入贡中国，宋朝皇帝先后将《大藏经》、《文苑英华》等许多重要典籍送给高丽。宋朝人往使高丽时，亦把高丽的一些书籍带回来，说明当时宋朝与高丽之间是有交往的。

朝鲜著名学者金宗直（1432—1492）说："活板之法始于沈括，用铸字印书，凡经、史、子、集，无家不有。"虽然将毕昇误说成沈括，但说明《梦溪笔谈》早已传入朝鲜半岛，故为该国学者熟知。

总之，高丽出现的活字印刷术晚于毕昇，而当时高丽与宋朝有着密切的文化交往，因而高丽出现的活字印刷术是有可能受中国毕昇发明的影响的，这一点也为古代朝鲜学者承认。

朝鲜半岛的古代出版物，今日中国有人习惯于称"高丽本"，黄建国等先生编《中国所藏高丽古籍综录》一书，收录中国 51 个单位所藏 "高丽本"
2754 种。其中铜活字印本 86 种，以大连图书馆藏朝
鲜太宗十六年（1415）铜活字印本《东国史略》为最
古；木活字印本 397 种，以上海图书馆藏 "明宣德三
年"（1428）朝鲜木活字印本《文选五圣并李善注》
为最古；铅印本 36 种，以相当于清光绪年间所印为
最早。此外较珍贵的有：朝鲜哲宗时铁活字印本《鲁
陵志》，国家图书馆与复旦大学图书馆有藏；朝鲜瓢
活字印本《论语集注大全》，北京大学图书馆有藏。

　　公元 1591 年，欧洲铅活字印刷术传入日本，称
"切利支丹本"。公元 1593 年，日本用活字印成《古
文孝经》，一般学者以为是日本第一部传统活字印
本。公元 1597 年，日本木活字印本《劝学文》，称
"此法出朝鲜"［图 1-5-09］。

　　日本的活字印刷术，一般学者以为有两个来源，
一是西洋活字，就是所谓的 "切利支丹本"，因所印
多为教会宣传品，故在当时影响不大；另一来源为从
朝鲜传入的汉文活字。

　　据张秀民先生《中国活字印刷史》载，日本知有
活字印刷术，在日本文禄元年（1592），相当于明万
历二十年，当时丰臣秀吉侵略朝鲜，在汉城发现铜活
字、活字印刷工具及活字印本图书，于是将其抢到日
本，所以在初期日本活字本中常有 "此法出朝鲜" 之
语。第二年即公元 1593 年，日本用这些抢来的活字
及印刷工具，印成了《古文孝经》，此为日本第一部
传统活字印本。日本庆长二年（1597）天皇下令仿朝
鲜铜活字雕木活字。日本庆长十年（1605）德川家康
命在圆光寺以《后汉书》为字本，铸造大小铜活字
10 万，次年完工，实造 91255 字，献给后阳成天皇，
这是日本历史上第一次铸造活字。中国人林五官参
与此事。

　　但是严绍璗先生著《汉籍在日本的流布研究》
一书中，对上述观点表示怀疑，他指出："若推考日
本近世活字印刷的源头，恐怕应当推古活字本《五
百家注韩柳文集》。……古活字本《五百家注韩柳文

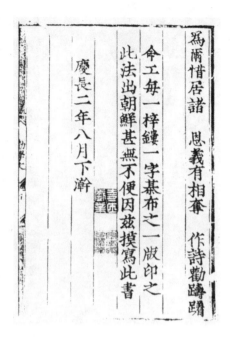

图 1-5-09 《劝学文》，
1597 年日本木活字印本

图 1-5-10 谷登堡肖像

集》似应刊行于 1396 年,若与文禄年间《古文孝经》相比较,则早了一百八十余年。这一技法大概是元末明初中国人东渡日本时带入的。至庆长年间,依靠朝廷的财力,便得以推广。"严先生看来也只是推测,还不算最后的结论。总之,不管日本的活字印刷术是间接传自朝鲜,还是直接传自中国,都是中国活字印刷术的延续,这一点是毋庸置疑的。

公元 1712 年,越南出版的《传奇漫录》据说是最早的活字本,1855 年又从中国买去木活字印刷《钦定大南会典事例》。由此可见,越南的活字印刷也是由中国传去的。

位于中国西部诸国,目前还未发现相当于宋元时期的活字印刷活动的记录。但元王朝的政权混一欧亚,在东西方相通的时代,整版印刷术既然可以由东向西传播,活字印刷术也是有机会同步相随的。

从世界范围看,自公元五世纪至十五世纪,欧洲处于基督教会黑暗统治之下,科学技术几乎陷于停滞的状态。与此同时,中国经济、文化与科学技术却日益走向其发展的顶峰,是当时世界科技发展的中心,而宋元时代则处于其间的黄金时代。在这样的时代,产生一种新技术,被异族效仿与运用,又向外邦扩散传播,是极其自然的现象。

公元 1450 年前后,德国人谷登堡(约 1394—1468)[图 1-5-10]根据西方拼音文字的特点,研制出字模浇铸铅合金字母活字。他发明了木制印刷机,开创了印刷机械化的先河。

一个有争议的话题是,谷登堡研制铅合金活字有没有受中国毕昇发明活字的影响。因为没有找到直接证据,现在还不能轻下结论,但有一些材料可以证明,谷登堡的发明与中国不是没有关联。例如,纸是一种重要的印刷材料,公元 1150 年,中国造纸术经阿拉伯传入欧洲,公元 1312 年,造纸术由意大利传入德意志。另外,活字印刷术在中国是由雕版印刷术发展而来的,而公元 1400 年前,德国纽伦堡出现雕版印刷的宗教版画,为欧洲最早的雕版印刷物。二十世纪发现的元代木活字回鹘文,与谷登堡排印《四十二行圣经》所用拉丁文同属拼音文字,都是腓尼基字母的"后裔",且古代回鹘人活动的地区,处于中原与西方的中间地带,因此回鹘文木活字,有可能起着毕昇发明泥活字与谷登堡制造铅合金活字之间的桥梁作用。

图 1-5-11 《四十二行圣经》，1455 年谷登堡铅活字印本

西方人长期认为活字印刷术是谷登堡发明的。十九世纪中叶，法国汉学家儒莲把沈括《梦溪笔谈》所载毕昇发明活版一节译成法文，于是较多的欧洲人才知道，在谷登堡以前 400 年，中国人早已发明了活字印刷术。不过，至今仍有许多西方人仍坚持旧的看法，毕竟中国人直接用传统活字印刷的书籍，几乎没有给他们的生活带来过什么影响。而谷登堡改进并使用活字印刷术后，书籍的生产量大大提高，使更多的人能接触知识，摆脱愚昧，从而直接推动了文艺复兴运动的发展，最终使西方世界成为现代化的发祥地。

谷登堡排印的书籍，以 1455 年铅活字印本《四十二行圣经》影响最大 [图 1-5-11]。它是世界上最早的《圣经》印本，也是欧洲活字印刷术发明初期的优秀代表。

从谷登堡印刷《圣经》开始，铅活字印刷术迅速向别国扩散，逐步成为世界上的主流印刷方式。明神宗万历十八年（1590），欧洲传教士在中国澳门用西方活字印刷拉丁文《日本派赴罗马之使节》。这是现代铅活字印刷术首次登陆中国，但只是匆匆而过，没有停留。直到十九世纪以后，中国进入印刷术的西法东渐时期，其间，铅活字凸印率先传入，随后，石印术、平版胶印、雕刻凹版、照相凹版、泥版与纸型铅版、珂罗版等相继传入中国。从此，中国的印刷事业迈入了近代的历史阶段。如果说中国古代印刷术完全是以人的手工技艺为特征进行图文刷印的话，那么近代印刷术则主要是由人操作的动力机械来完成图文转印的。这一切，与谷登堡的贡献是分不开的。

英国的韦尔斯（1866—1946）在《世界史纲》中指出："打开从奴役和混乱通向近代理想即自愿合作的国家的道路的不是设立临

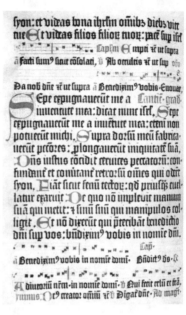

图 1-5-12　《美因兹圣诗篇》，1457 年铅活字朱蓝套印本

图 1-5-13 《死和爱》，1510 年德国明暗套色木刻

时投票站,而是建立学校和使人们普遍地能接触到文献、知识和新闻。"活字印刷术在欧洲的出现,给人们提供了这种接触文献、知识和新闻的机会,可以说正是这些纸质印刷品解放了人类的头脑,人类才走向一个更为理性的新世界。

三、套色印刷术的外传

公元 1457 年,德国的《美因兹圣诗篇》用红色与蓝色套印装饰文字[图 1-5-12],这是欧洲最早的套色印刷品。公元十六世纪初,德国出现明暗套色木刻版画,方法是用二至三块木版,将同一个画面的不同明暗分别刻在各块版上,再用不同明暗的油墨套印而成,一般使用深褐、淡褐、土黄,最亮的部分则刻白留出白纸[图 1-5-13]。这些作品产生年代均无早于现存辽、金、元套色印本的,虽尚不清楚是否受中国套色印刷术的影响,但它们显然都是欧洲已出现的活字或雕版印刷术延伸技艺的产物,因而不能说与中国传统印刷术毫无关系。

据日本黑崎彰等著《世界版画史》介绍,日本套色印刷最早的记载是 1567 年左右出版的四色艳画,而 1602 年出版的艳画《风流绝畅图》已为五色木版印刷。现在所能看到的最早的日本彩色印刷的原本,如 1627 年三色套版印本《尘劫记》、1633 年六色印本《御马印》、1644 年三色印本《宣明历》、1645 年二色印本《编年合运图》等,多为角仓家族的吉田光由(1598—1672)编辑,或者与他有关。而在京都经营书籍出版业的角仓家族,招聘了很多的中国工人。可以说日本初期的多色版画,已受到中国的影响。而在此前后,中国明清的版画通过日本的长崎港传入,对京都、江户等地的文人、绘工产生了很强的启发,直接影响了之后的日本"浮世绘"。浮世绘是日本德川时代(亦称江户时代,1603—1867)兴起的以描绘风景和百姓风俗为主题的各类版画,最初以墨色印刷,而那些有色彩的是用手绘上去的,称为"肉笔绘"。1765 年,铃木春信(1725—1770)成功研制出能分版套印多种色彩的"锦绘",为浮世绘揭开了一个五彩斑斓的新世界。与此同时,他还采用特殊的"压纹"技术,使画面产生出凸凹效果。将铃木春信作品与中国套色印本相比,从套印效果看,"锦绘"与"饾版"相近,"压纹"与"拱花"相近[图 1-5-14],但"锦绘"各色版大小相同,而"饾版"各色版大小不一;"压纹"是将印色后的版画覆在一块不上色的版上施压而

图 1-5-14 《猫与蝴蝶》，十八世纪六十年代末铃木春信锦绘压纹版画

成，而"拱花"是用凸凹版制成。铃木春信作品产生在中国的"饾版"、"拱花" 之后上百年，从浮世绘与中国版画的渊源关系看，"锦绘"与"压纹"也应是在中国印刷术影响下产生的技艺。此外，明清时色彩华丽、内容丰富的画谱、年画，不仅销往日本，也出口至朝鲜、越南，以及东南亚地区，并随之对这些国家的文化产生了很大影响。

下　编
中国传统印刷术的工艺流程

第一章　印刷术分类

人类印刷术已走过了千年演进历程，现代印刷技术更是日新月异，但无论技术手段怎样变化，仅从印版版面印刷部分和空白部分的相对关系来看，印刷方式基本上可分别归入凸版印刷、平版印刷、凹版印刷、孔版印刷四大类中。

一、凸版印刷术

凸版印刷的印版，其印刷部分高于空白部分，印刷时，在印刷部分敷墨。因空白部分低于印刷部分，所以不能粘墨，当纸张等承印物与印版接触，并受到一定压力，印版上印刷部分的墨迹就转印到纸张上而得到印刷成品。中国隋唐之际出现的雕版印刷术，标志着凸版印刷术的诞生。后来出现的活字与木版套色印刷术也属凸版印刷。

二、凹版印刷术

凹版印刷的印版，印刷部分低于空白部分，印刷时，全版面涂上墨后，擦去平面上（即空白部分）的墨，使墨只保留在版面低凹的印刷部分上，再在版面上放置吸墨力强的承印物，施以较大压力，使版面上印刷部分的墨迹转移到承印物上，获得印刷品。公元1430年，德国出现了凹版雕刻铜版画，标志着凹版印刷术的诞生。后来又进一步发展，产生了照相凹印、电子刻版凹印等技术。

三、平版印刷术

平版印刷的印版，印刷部分和空白部分无明显高低之分，几乎处于同一平面上。公元1798年，捷克剧作家塞内费尔德利用水与油不相容原理，在平面上印刷，发明石版印刷术，是为平版印刷术的开端。后来出现的胶印、珂罗版印刷术也属平版印刷。

四、孔版印刷术

孔版印刷的印版,印刷部分是由大小不同的孔洞或大小相同但数量不等的网眼组成,孔洞能透过墨,空白部分则不能透过墨。印刷时,墨迹透过孔洞或网眼印到纸张或其他承印物上,形成印刷成品。现在所用的孔版印版主要有:誊写版、镂孔版(即型版)、丝网版。孔版印刷术起源于中国春秋战国时已出现的织物孔版印花技术。

五、中国传统印刷术版本类别

中国的雕版、活字、套色三种传统印刷术,基本上都属于凸版印刷术。吕抚所造"字母"为阴文,外观与"凹版"相近,但文字正字,近似于铸铅字用的字模,不能直接用来印刷,而是捺印成阳文反字泥版再印刷,因而仍属于凸版印刷。中国历代编制的图书目录著录传统印本时,可见到一些描述版本类别的术语,比较常用的如下所列:

刻本:指雕版印刷的本子。非墨印者可根据颜色,称为"蓝印本"、"朱印本"等。

影刻本:指据旧本影写刻印之本,影刻本又分为"影宋刻本"[图2-1-01]、"影元刻本"等。

活字印本:指用中国传统活字排版印刷的本子。根据制字材料,可区分"木活字印本"、"铜活字印本"及"泥活字印本"等。西方机械活字印刷术传入后所印之本,则称"铅印本"。

钤印本:指以印文为正文,用若干印章直接捺印于书叶的本子。主要是印谱类图书。

彩色印本:指单版复色印本。

套印本:指分版分色印本。朱墨两色套印本

图2-1-01 《广韵》,清康熙四十三年(1704)张士俊泽存堂影宋刻本

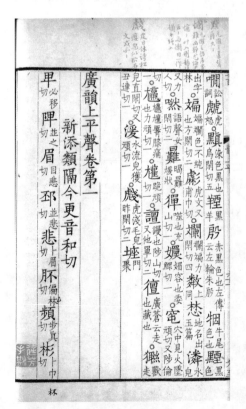

可称"朱墨套印本";两色以上印本可径称"三色套印本"、"四色套印本"等。"饾版"等多色印本则称"彩色套印本"。

公文纸印本:指以公文纸印成的本子。

第二章　雕版印刷术工艺流程

一、备料

选择适当的木料制成板材,再按需要准备好纸和墨,是雕版印刷的第一个环节。

（一）备板

雕版印刷最初的工序是制板,包括选料、锯板、浸沤、干燥和平板。

选料:理想的雕版用材应具有耐印率高、吸墨与释墨性均匀的品质。为此,一般多选用梨木、枣木和梓木。皂荚木、黄杨木、银杏木、苹果木、杏木、白杨木与乌桕木也时有应用。这些树木硬度适中,纹理细密,质地均匀,易于雕刻,干湿收缩度不大,而且资源丰富,各地均可就地取材。

锯板:将木料除去小枝,选取有充分雕刻面积的树干,沿树干纵向直切,锯成约二厘米厚的木板。纵向直截不仅得到的木板面积较大,而且易于避开树材上的疤节和质地疏松的树心,中国刻书多采用这种顺纹法制作板片。而西洋木刻多取木纹横断面,宜于细刻,称为断纹法。

浸沤:将锯好的木板放在水中,上压重物,浸沤一至数月,期间要数次换水,使木板体内的树脂溶解,干燥后不致翘裂,利于刊刻又易于吸墨释墨。浸泡时间夏季稍短,冬季稍长。存储年代久远的干燥木材可不必再作浸沤处理。

干燥:将浸沤后的木板平行码放在无直射光的通风干燥处,每层木板之间用粗细相等的长木条或竹片垫平,令其自然干燥。自然干燥期间应时常翻动检查,并不时将码垛的木板上下左右对调,以防干燥不均而扭曲变形。经此方法处理过的木板,容易干燥也利于刊刻。急用时可将木板放入大锅中煮三四小时,然后在背阳处阴干。

平板:将干燥后的木板上下两面刨平、刨光,截成略大于书叶版面的矩形；用植物油遍涂表面，再用芨芨草的茎部细细打磨平滑。

（二）备纸

现存古代纸卷书籍大都用大麻、苎麻、楮皮等制成，有时也采用藤、桑等材料。宋代以后，印刷开始使用以竹和禾本植物为原料所造的纸。历代著名的印刷用纸有苏州的"金粟纸"、福建建阳的"椒纸"、江西抚州的"草钞纸"、湖北蒲圻的"蒲圻纸"、四川广都的"广都纸"、浙江嘉兴的"由拳纸"、江西永丰的"棉纸"、安徽宣州的"宣纸"和浙江开化的"开化纸"等。明清以来，普通图书使用竹制"毛边纸"与"太史连纸"印刷，"宣纸"和"开化纸"则多用于印刷精美的作品。

（三）备墨

印刷用墨的制作方法是，将粗松烟研细，加胶料和酒制成膏状，放入缸内存放三冬四夏，使臭味散去。存放时间越久，墨质越好。用时加水充分混合，用马尾筛过滤。另有红、蓝二色供初印样本使用。常见红墨为朱砂和铅丹的混合剂，掺入白芨，用水蒸煮而成，或以苋莱制成液体，但色泽易褪。蓝墨为靛蓝所制，色泽经久不变。

二、雕版

将书写校对好的字纸反向贴在板面上，使板面显出清晰的反文。当刻工将版面上的空白部分用刻刀剔除，可用于刷印的雕版便形成了。具体步骤如下：

（一）写样

由擅长书法者将原稿誊写在极薄的白纸上，称为"写样"。纸用红色印制行格，称为"花格"。两行之间留有一行空白，每行三线，中线为每行的中准。如有双行小字，则以中线为界，另两线则为小字作中准。

（二）校正

纸样写成后，先作初校，如有错字，即在字旁用符号标明，将正字书于该行纸的上端。再将错字用刀挖除，重贴再写，二校后始成定样。

（三）上板

将校正的写样反贴于板面，使文字或图像呈反向显现于板面上，称为"上板"。又分为：

　　贴样法：板面先薄涂浆糊，然后将纸面覆贴，以扁平棕刷轻拭纸背，使字迹转现在板面。待干燥后，用食指轻轻擦去纸背底层，以刷子拭去纸屑，再以芨芨草打磨，使板面上的字迹或图画显出清晰的反文。这种方法便于操作且字迹清晰，被人们普遍使用。

　　墨浸法：将纸样用浓墨书写，反贴于用水湿透的板面上，用力压平。待墨迹吸入板面后，将纸揭去。这种方法水量太少就不能吸墨，水量太多则会将墨溶解，字迹不如贴样法清晰。

　　（四）雕刻

　　雕刻就是将板上有墨迹的部分保留，刻去板上的空白部分，使有墨迹处形成约 1 毫米凸起的阳文反字。雕版所使用的工具，大小、形状各异，功用不同，主要有刀、錾、凿、铲等刃具［图 2-2-01］。雕刻步骤为：

　　发刀：开刻时先在字迹的周围刻划一刀，放松木面，称为"发刀"。

　　挑刀：以右手握刀，以左手拇指相抵，引刀向内而非推刀向外，然后在贴近墨迹的边缘再加正刻或实刻，形成字旁的内外两线。刻时先将直线刻完，再将木板横转，逐一刻横。先自左起，撇、捺、勾、点，逐一雕刻。然后将发刀周围的刻线与实刻刀痕二线之间的空白木面，用大、小剔空刀剔清，称为"挑刀"。

　　打空（剔空）：笔画挑成后，铲去行格间所余的空白板面。先用圆口凿以木槌轻敲柄尾，将无字处之空白木质铲去，成一浅槽，再用平口凿及小刀剔去未清之处并加修整，称为"打空"。

　　拉线：将板面四周的边框以及每行的行格用刻字刀削齐，称为"拉线"。为了保证线条平直，通常是用左手压住界尺，右手持刻刀

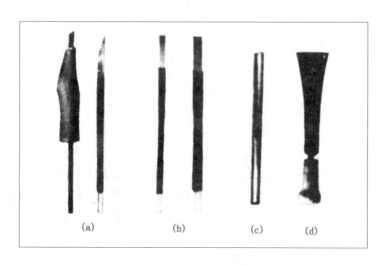

（a）　　　（b）　　　（c）　　　（d）

图 2-2-01　雕版工具
a 刻刀
b 两头忙
c 半圆刃凿子
d 平錾

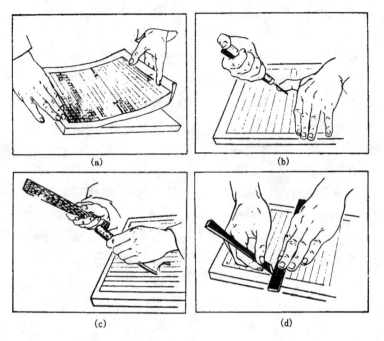

图 2-2-02　雕版工序
a 上板
b 发刀
c 打空
d 拉线

依着界尺进行刊刻。

修整与水洗：最后将板片的四边锯齐，以刨子或铲刀加以修整，再用水洗刷板上所留的碎木及纸纤维残留物。〔图 2-2-02〕

三、刷印

大面积着色要求对印版施加较大的压力。古代中国人巧妙地运用毛刷对承印物背面施压，通过连续拭刷获得良好的印质。

刷印时先将雕版用粘板膏固定在案桌上，将纸平置于旁。印刷者手持圆刷蘸适量墨汁均匀涂于雕刻凸起的版面，随即以白纸平铺其上，再用狭长的长刷轻轻拭刷纸背，然后将印好的纸张从版上揭下晾干，这时纸上的文字或图画已成为正向。

印刷时一般先以红墨或蓝墨印出初样，作为末校之用。如刻字有错或行格损裂，可加以修补。如果只有一两个错字，挖去错字成一刻槽，另削成木块用槌嵌入挖空的槽内，以铲铲平，再描反字重刻。如果错字较多，则把一行、数行刻字尽数剜去另补木条铲平重刻，乃至将整个版面刨平重刻。挖补或修正后之改样，再次校对，如无错误，即成定本用墨付印。一块雕版印完之后，换上另一块雕版继续重复上面的操作过程，直至全部雕版印刷完毕。

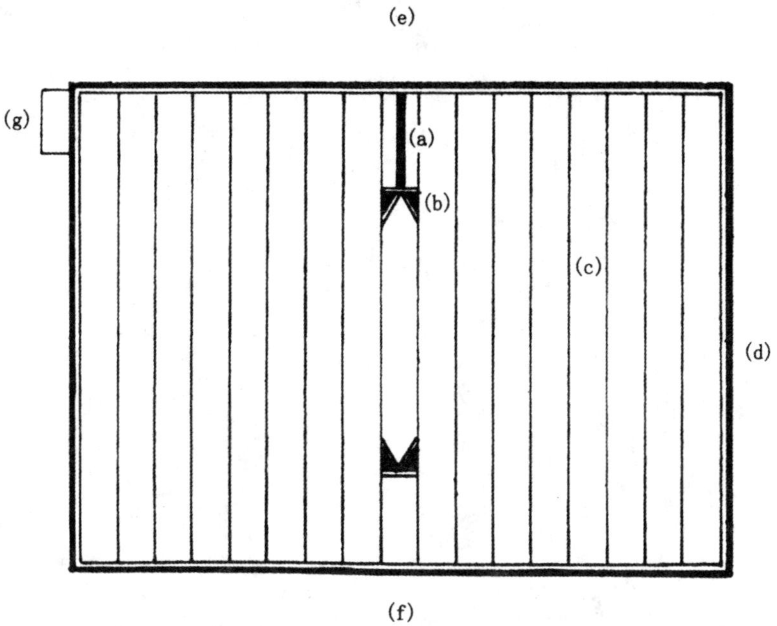

(e)

(g)

(a)

(b)

(c)

(d)

(f)

图 2-2-03 雕版印
本书叶典型版式
a 象鼻
b 鱼尾
c 界行线
d 栏线
e 天头
f 地脚
g 耳子

四、版式

　　传统中国印本的书叶只印一面，每张书叶上有特定的形式与
线条，雕版印本书叶的典型版式构成如下［图 2-2-03］：

　　书叶：按文稿顺序排列的书写、印制的单张纸叶。

　　版心：书叶左右对折的正中、在折叶时取作中缝标准的条状行
格。雕版印刷的书籍版心通常印有书名、卷次、叶码，有的还印有一
版文字总数、刊刻机构以及刻工姓氏等。

　　象鼻：版心中央有一黑线，有粗有细，以此线为准进行折叶，因
形似象鼻，故名。

　　鱼尾：版心中缝处为便于折叠书页而刻的记号，因形似鱼尾，
故名。黑的称"黑鱼尾"，白的称"白鱼尾"，双股线的称"双线鱼
尾"，作花瓣状的称"花鱼尾"。同时，只刻一个的称"单鱼尾"，刻
两个称"双鱼尾"。

　　行款：书中正文的行数、字数。

　　界行线：书叶上区分行与行之间的细线。

　　版框：书叶正面图文四边的围栏。

　　栏线：书版四周构成版框之界线，单栏为一粗线或一细线，双
栏或为一粗一细两线（俗称"文武边"），或为双细线，又有形似竹
节的竹节栏、以花纹组成的花栏、以"卍"（俗称"万字不到头"）

组成的卍字栏,以古器物图纹所组成的博古栏等。

天头:图文或版框上方的空白处。

地脚(下脚):图文或版框下方的空白处。

耳子:刻在左栏上角的小长方格子,内多刻本书小题。

第三章　活字印刷术工艺流程

根据目前存世的活字实物、活字印本与有关文献记载,我们获知活字印刷术问世 900 多年来,一直处于发展变化的过程中。

一、造字

(一)材料

在制字材料方面,据文献记载,中国古代曾使用过泥、木、锡、铜、铅等活字,而朝鲜另外还使用过铁活字、瓢活字。德国谷登堡使用的是铅合金活字,这种活字人们习惯称之为铅活字。

但若目测存世活字印本,其制字材料基本上是分辨不清的。如《中国古籍善本书目》中仅著录有"铜活字印本"与"泥活字印本",其余皆云"活字印本",这是版本学界不成文的习惯,木活字与搞不清品种的均不著录制字材料。

既然制字材料不是靠目测而是靠文字描述来辨别的,那些已著录为"铜活字印本"的就存在一些疑问。如明代华燧自称所印书为"活字铜版"[图 1-4-08],《中国古籍善本书目》即据此著录所有的会通馆活字印本为"铜活字印本"。但在明、清两种《华氏传芳集》与清代《勾吴华氏本书》所载华燧传记中,或云"铜版、锡字",或云"范铜为版,镂锡为字",或云"范铜板、锡字",南京图书馆潘天祯先生根据这些材料,认为会通馆的活字印本并不是"铜活字版",而是"锡字铜版",就像最初毕昇发明的活字印刷术,实际上是"泥字铁版"一样。但华燧原印本上未出现"锡字"之类说法,且明邵宝(1460—1527)撰《容春堂集》所载华燧传记中又云"铜字板",因此张秀民先生仍坚持认为会通馆所制为铜活字。中国古代用金属版印刷有着悠久的历史。广州西汉南越王墓的出土印花铜版,证明在公元前二世纪,已用铜版在丝织品上印花。宋代的纸币也是用铜版印刷。北宋时期已用铜版印刷商标广告。这些铜版实物都流传至今。这证明，早在宋代，已解决了铜版印刷的用墨问题。当然，目前尚没有最后的结论，只有等待新材料的出现，或用化学分析法对存世的会通馆等"活字铜版"印本进行测试，才可能有科学的结论。

对于文献记载的制字材料，学者们也存在不同的认识。如明陆深（1477—1544）著《俨山外集·金台纪闻》载有"近时毗陵人用铜铅为活字"之语。清乾隆帝撰《御制题武英殿聚珍版十韵序》引之为"毗陵人初用铅字"，又云"镕铅质软"，显然认定陆深所述有铅活字。但钱存训先生著《中国纸和印刷文化史》中则认为，陆深记载的"铜铅字"，"似可能意指以铜与铅的合金制造活字，而非以铜与铅分别各制一种活字"。实际上，在陆深之前，1436年，朝鲜《文献撮录》有"范铅为字"印《通鉴纲目》的记载，这是世界上最早的铅活字印刷书籍。至1450年左右，德国谷登堡也铸造了铅合金活字。因而陆深记载的是铜与铅两种活字，还是一种铜铅合金字，因技术上均有可能实现，故两种可能性都存在。如明晁瑮（约1506—1576）撰《晁氏宝文堂书目》著录"常州铜板"《杜氏通典纂要》可能与陆氏记载有关联，若能发现传本，或许有助于辨析。

（二）方法

在制字方法方面，木活字自然只能刻字，但元代王祯是先刻字后分割成活字，而清代金简（？—1794）是先制成木子后刻成活字。泥活字在毕昇时代是一个一个刻上去的，但清代翟金生泥活字有以字模翻制而成的。目前金属活字在制造方法上，存在着刻字还是铸字的争议。我国的金属铸造工艺，早在商周时代已有相当高的水平。至少战国以后已有铜印，多数系铸成的，其中的一字印，与铜活字无异。至于铸钱技术，战国时期已很精湛，并历代延续发展。铸

图2-3-01　战图布币

钱与铸铜活字之不同处,只是钱面是正字,铜字面是反字而已,但两者在技术上是一样的[图2-3-01]。从文献记载看,元代王祯曾提到"注锡作字",说明在王祯之前,中国已有用字模铸造的金属活字。但清代道光年间林春祺(1808—?)撰《铜板叙》载其所用铜字却为"镌刊"。由于没有相应的金属活字实物与记载造字工艺过程的文献存世,即使面对同一种金属活字,说法也不统一。如《钦定古今图书集成》所用活字,乾隆帝言"刻铜字为活版",而同一时代久居京华的吴长元却云:"武英殿铜字版,向系铜铸。"从现存金属活字印本上看,在同一部书中的重复之字,常常有明显的区别,学者们据此推测,现存金属活字印本大多为镌刻而非铸造的。但这一推论是建立在重复之字仅用同一字模铸造的假设上,若重复之字的字模是一组,浇铸出的活字自然会有同文不同形者。因而,若要判断金属活字是直接镌刻的,还是用字模铸造而成的,不应只在一书中寻找有区别的重复之字,而应在同一叶上尽可能寻找完全没有区别的文字,因为这样的活字有可能是铸造的。总之,金属活字制字方法目前尚无定论,有待考证。

图2-3-02 回鹘文木活字

(三)字型

从外观上看,毕昇发明泥活字应是与雕版上的文字一样,为阳文反字,其后从回鹘文木活字[图2-3-02]直至谷登堡的铅合金活字也是如此。例外的是清代吕抚印其自著《精订纲鉴二十一史通俗衍义》[图1-4-13]使用的泥活字是阴文正字,类似于铸字用的字模。

二、排印

(一)制版

从排印方式上看,中国古代多是用活字摆成一版而直接刷印的。但到了清代雍正末乾隆初，即 1736 年前后，吕抚制造阴文正字的泥“字母”，用来压制阳文反字在泥版上而再刷印上纸，这是活字与整版相结合的印刷方式，如果不考虑字体因素及多人同时排印等情况，理论上无须造重复字就可排版刷印书籍。而从毕昇起直接用活字来排版刷印的方式，就要将常用字“之”、“也”等重复多刻一些，不然几乎连一版书也排印不出。元代王祯刻制木活字是 3 万余个，马称德（？—1322）刻制木活字为 10 万多个，清代金简主持武英殿刻木活字是 25 万余个，林春祺刻制大小铜活字达 40 多万个。字数越多，其制字、存储、拣字、归字愈繁。而吕抚在实际操作时，称制 3000 余字可印文章，制 7000 余字可印古书，这是已知史料中以最少的汉文活字来印刷书籍的记录，在中国活字印刷史上是个奇迹。

古人称用活字摆成一版而直接刷印的版为“活版”或“活字版”，吕抚用泥“字母”压制成阳文反字在泥版上而再刷印上纸，泥版已为整版，因而吕抚之法克服了活字版不能保留整版的最大弊端，为世界已确知的泥版印刷之始。十九世纪八十年代美国首先制造出实用的英文打字机，无须重复之字即可冲击制版，但多用于制成供油印的蜡纸孔版，印刷效果不佳。因而直到二十世纪中后期，世界范围内的主流文字印刷方式，还是谷登堡铅活字与纸型浇铸铅版的组合模式。如果排除材料的因素，可以说十八世纪吕抚的活字泥版刷印术，在排印方式和制版技术上，拥有其同时代最先进的理念。

（二）刷印

无论是用泥、木、锡、铜、铅活字排成的活字版，还是吕抚用泥“字母”压制成的泥版，刷印方式与雕版没有多大差别，但清乾隆年间金简主持排印《武英殿聚珍版丛书》，采用的刷印方式却是具有独创性的。基本程序是：先用刻有版框、行格的梨木“套格版”刷印成格纸，然后将摆入“槽版”的活字套印在格纸上，即边栏、文字是两次刷印而成的，这是早已出现的多色套版印刷术的活用。这种边栏整版与文字活版套印的方式后来也有人效法运用，如清光绪二年（1876）北京聚珍堂活字印本《红楼梦》[图 2-3-03]就是仿金简法印制的。

图 2-3-03《红楼梦》，清光绪二年（1876）北京聚珍堂活字印本

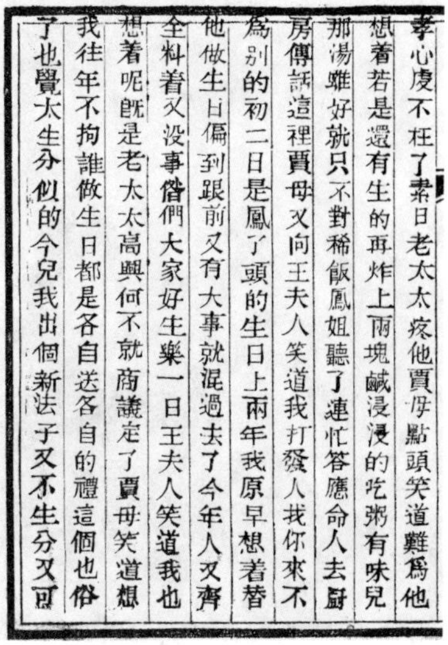
孝心虔不枉了素日老太太疼他賈母點頭笑道難爲他
想着若是還有生的再炸上兩塊鹹浸浸的吃粥有味兒
那湯雖好就只不對稀飯鳳姐聽了連忙答應命人去厨
房傳話這裡賈母又向王夫人笑道我打發人找你來不
爲別的初二日是鳳丫頭的生日上兩年我原早想着替
他做生日偏到跟前又有大事就混過去了今年人又齊
全料着又沒事咱們大家好生樂一日王夫人笑道我也
想着呢既是老太太高興何不就商議定了賈母笑道想
我往年不拘誰做生日都是各自送各自的禮這個也俗
了也覺太生分似的今兒我出個新法子又不生分又可

（三）贮字

活字的贮字方法自古各异。宋代毕昇泥活字是按韵排列，存放在木格里；元代王祯木活字依韵将字放入两个有转轮的排字盘里，一人坐中间，以字就人，取字归字，均可转轮完成；清代吕抚泥"字母"依汉字部首存入字格；清代金简木活字依《康熙字典》部首排列字序，用木柜存放。

第四章　套色印刷术工艺流程

如果要刷印两色或两色以上的多色图文，如评点本、纸币、地图、年画、墙纸、契约纸、信笺和书画等，需采用套色印刷。中国传统上有单版复色、套版、饾版、拱花等套色印刷方法。

一、单版复色印刷

单版复色印刷备板、备纸、雕版等步骤与普通雕版印刷术没有多大差别，而所用彩墨与套版印刷术相近，只是刷印时是在一块版上的不同部位涂刷不同的颜色，一次印成［图 2-4-01］。

二、套版印刷

将不同颜色的部分分别刻成符合规格的版，逐次印到一张纸上，就称为套版复色印刷，简称套版印刷，也可称为分版复色印刷。套版印刷发明的初期，主要用朱、墨两种颜色刷印，称为"朱墨套印本"［图 2-4-02］，以后进一步发展出三色、四色、五色等更多颜色的套印图书。各色套版一般大小相同。

套版印刷是由雕版印刷直接发展而来的，因而在备制木板、雕刻技艺等方面与普通雕版印刷基本上是相同的，所不同的有以下几方面：

图 2-4-01 《程氏墨苑》，明万历程氏滋兰堂刻彩色印本

（一）备墨

黑墨：套版印刷黑色印墨可用与普通雕版印墨相同的松烟墨，但价虽廉却无光；也可用油烟墨，价虽高却色泽黑亮持久。油烟是以燃烧鱼油、菜籽油、豆油、大麻籽油、芝麻油、桐油、石油等取得，但桐油得烟最多，墨色黑而光，久则日黑一日。

彩墨：多以常见的国画颜料，如硃砂、藤黄、黄丹等加入动物胶或白芨胶等配制而成。若为石性颜料如石青、硃砂等，则放入内层无釉的碗或盆内，加入适量的水与溶化后的动物胶或白芨胶，用表面粗糙的棒状物品进行研磨，至其与胶、水融合，短时间不发生分层即可使用。若为有机颜料如靛蓝等，则加入适量的动、植物胶，稍加研磨便可使用。制好的颜料经过滤后使用为佳。

（二）制稿

分色：一幅完整的彩色套版印刷作品，需要用两块或多块印版经多次套印才能完成，所以誊写之前需要对原稿进行分色。具体方法是，根据分版的数量将待印书稿的正文、注解或其它内容用不同的颜色进行誊抄。这种誊写用纸除了事先画有写字用的花格，还有提高套版精度用的明确标记，如边框线或十字线等。

摹写：将两种或多种颜色写成的稿件作为复制原稿，在原稿上覆盖专用的摹写纸，这种摹写纸的透明度较高，可以清晰地看见下面原件上的文字。摹写时一定要使摹写纸与原稿相对固定，不得发生位移。摹写时要根据原稿的用色，一种颜色摹写一张。摹写完成后校对无误，便成摹写稿。

（三）上板雕刻

在经过刨平、截割、磨光的木板上均匀地刷一层稀浆糊，将摹写稿有字迹的一面朝下平贴到木板上。不同颜色的摹写稿分别粘在不同的木板上，贴好后让其自然晾干。干燥后轻轻擦去纸背

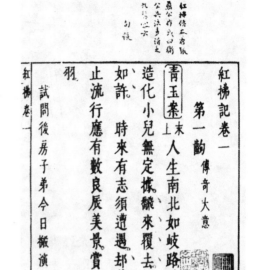

图 2-4-02 《红拂记》，
明凌玄洲刻朱墨套印本

图 2-4-03 套版印刷工作台

多余纤维,使板面显出清晰的反文墨迹,然后分别进行雕刻。套版的雕刻手法与普通雕版基本相同。

（四）刷印

印刷台：套版印刷通常在特制的印刷台上进行[图 2-4-03]。这种印刷台由固定在一起的两块台板组成,中间留一缝隙,用来晾放印过的纸张。操作者坐在中间偏左的位置。

固纸：由于必须保证每块印版都准确地套印在预定的位置,印刷用纸通常以硬木压纸杆固定在靠近中缝右边的印刷台上。

对版：对版法采用传统的摸对法。即事先在第一张纸的背面用笔画出每块套版的应在位置,对版时左手将纸拉平,右手在纸下移动套版,并不时地用右手在纸背上向下摸按套版,当纸背上凸出印痕与事先画在纸背上的套版位置重合时,套版的位置也就基本对准了。

固版：待印套版一般以沥青或腊固定在印刷台的左边,固定好后可以试印一张,根据情况作适当调整。一块套版印完后,用木榔头敲击侧面,使套版与印刷台面分离。然后换上另一块套版,经对版后,用同样的方法固定。

着色：正式上色前先用清水湿润套版,然后刷上待印的颜色。着色要一版一色,一色一刷,少蘸多刷,不留积色。

施印：揭纸一张,覆于已着色套版上,再轻轻以毛刷于纸背拂刷,版上颜色就转印到纸上。

晾干：刷印完成后,将纸从套版上揭起,放到台板中间的空隙处,使纸自然下垂晾干。一块套版印完之后,待色干后换上另一块套版继续重复上面的操作过程,直至全部套版印刷完毕。

图 2-4-04 《十竹斋书画谱》，明胡氏十竹斋刻彩色套印本

三、饾版印刷

饾版印刷是一种在套版基础上发展而来的采用分版复色叠印的印刷工艺，因由多块大小不同印版拼凑而成，犹如饾饤将食品拼花堆叠，故名。这样印出作品的颜色浓淡深浅，阴阳向背，几与原作无异［图 2-4-04］。

（一）备料

板材：饾版印刷的板材根据待印画面而有不同的选择，细如发丝的线条需用木质硬而纹理细的黄杨木，有时为了刻意表现山石的粗糙，可采用木纹较粗的杂木。浸沤、干燥、平板的过程与普通雕版相同。只是在准备雕刻前，需根据饾版画面的大小将木板截割成大小合适的板材。

纸张：主要选用洁白光滑、吸水性强的宣纸。

颜料：所用彩色颜料与国画所用相同，多数为矿物颜料，混以桃树胶脂或动物皮胶，用水调匀。各种颜色调配尽量与原作相同。

（二）雕版

设计：对图画原作的色彩多寡和色调深浅等变化不同，先进行剖析，再设计分色、分板。分板数目少则二、三块，多则数十以至上百上千。

勾描：采用透明薄纸放在原作上，根据分色分板情况，分别描绘，作为雕刻的原稿。

上板雕刻：饾版的上板程序与雕刻手法与普通套版基本相同。

（三）刷印

刷印是饾版印刷作品质量控制的最后一道工序。印刷者必须不拘成法，有悟性，方能使印刷出的作品不失笔墨之趣。饾版所用印刷台以及固纸、对版、固版、晾干等步骤与普通套版印刷基本相同，所不同的主要有：

湿纸：在含有适量水分的生宣纸上进行印刷，可克服湿版干纸印刷的弊病，并将中国书画作品中的神韵表现得淋漓尽致。湿纸可直接用嘴喷出水雾使纸张湿润。喷水量的多少，依待印画面的滋润漫漶、干枯瘦劲等效果而定。纸张喷水后要用油布蒙盖浸闷半天，令水分渗透均匀。

着色：颜色用毛笔上色，主要是按原作色彩的浓淡、深浅在套版上着色。

施印：将固定在印刷台上的纸张逐一揭起，铺在着色的版面上，用毛刷于纸背拭刷，并视原作色彩的浓厚和笔法的粗细，施以轻重、缓急的压力。有时先印某色，干后再印他色；有时必须在颜色干燥之前立即加印他色，才能显出颜色的层次和深浅，以便充分表现出中国书画作品的技巧与神韵，这是其它印刷技术所无法媲美的。

一块印版印完之后，将印刷台中缝中的纸张全部翻回到印刷台面的右侧，换上另一块印版，经对版、固版后，重复上面的印制过程，直至全部套版印刷完毕。

四、拱版印刷

"拱版"也称"拱花"，是一种美术与技术相结合的印刷方法［图 2-4-05］。拱版有两种方法：

平压法：用一块板片雕刻凹形花纹，用纸平铺其上，施加压力，在纸面上显现凸出的花纹。

双夹法：用两板分别雕刻阴阳花纹，印时将纸夹在两板之间，板合起来后，即在纸面压出凸出的花纹。

拱版印法在中国有十七世纪上半叶的印刷品原件存世，而在十八世纪中叶以后凸版花纸才在德国出现，至 1796 年在英国注册专利，所以拱版印刷中国早于欧洲至少一百多年。

图 2-4-05　拱版印刷品:《十竹斋笺谱》

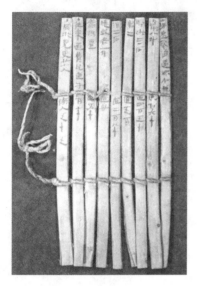

图 2-5-01 汉简策装《劳边使者过境中费》

第五章　装帧形式

书籍装帧艺术随着书籍的出现而逐步发展。装帧形态因各个历史时期书籍所用的材料与装帧方法的不同而各具特色。我国古代的书籍装帧形式,有以下几大类:简策装、卷轴装、旋风装、经折装、蝴蝶装、包背装、线装。

一、简策装

造纸术发明之前,中国古代的书大多写在一根根长条形竹片或木片上,称为竹简或木简。为便于阅读和收藏,用绳将简按顺序编连起来,编完一篇内容为一件,称为策,也称简策。"策"与"册"义相同。用丝绳编的叫"丝编",用皮绳编的叫"韦编"。编简成策之后,从尾简朝前卷起,装入布套,阅读时展开处即卷首。后人称这种装帧形式为简策装[图 2-5-01]。简策是我国最早的装订形式,商周时通行,到了晋代,随着纸的应用和纸本书的出现,简策书籍逐渐为纸本书所代替。

二、卷轴装

按顺序将书叶粘接后,末端粘接木制或其他材料制成的圆轴,首端粘接细木杆,然后以尾轴为轴心向前卷收成为一束的装帧形式,又称卷子装。阅读时,将长卷打开,随着阅读进度逐渐舒展[图 2-5-02]。卷轴装是由简策卷成

图 2-5-02 唐卷轴装《金刚经》,唐咸通九年(868)刻本

图 2-5-03 欧洲卷轴装图书，
公元一世纪庞贝壁画

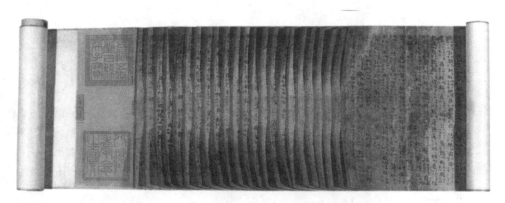

图 2-5-04 唐旋风装《刊谬补缺切韵》,唐吴彩鸾写本

一束的装订形式演变而成的,始于帛书,隋唐纸书盛行时应用于纸书,现在装裱中国字画仍沿用卷轴装。距今5000年前的古埃及纸草书也是卷轴装,纸草书于公元前300年开始在罗马通行,至少公元五世纪在欧洲还时而出现[图2-5-03]。

三、旋风装

将书叶按顺序相错排列,一端粘于长条底纸或集齐固定在细木杆上,卷收保存。此种装帧外表仍保留卷轴装的特点,但从卷好的书籍两端看,所有书叶以卷轴为中心朝一个方向旋转类似旋风,故名;展开时,书页又如鳞状有序排列,故又称龙鳞装。这是中国书籍由卷轴装向册叶装演化过渡的一种形式。它保留了卷轴装的外形,又解决了翻检时的不方便。现存故宫博物馆的唐朝吴彩鸾手写的《刊谬补缺切韵》,用的就是这种装订形式[图2-5-04]。

四、梵夹装

按顺序将写好文字内容的贝叶或长方形纸叶摞好,上下各用一块板夹住,再打洞系绳。这是我国古代对从西域、印度引进的梵文贝叶经特有装帧形式的称谓。后来,中国人对贝叶经式梵夹装进

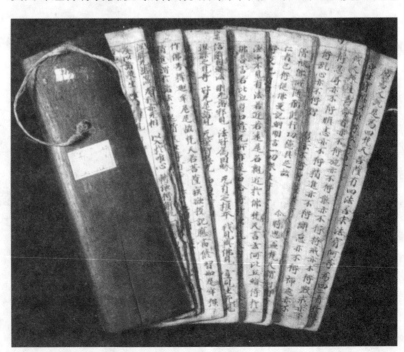

图2-5-05 梵夹装（发现于敦煌）

行了改造,加大了文字的容量[图 2-5-05]。

五、经折装

按顺序将书叶粘接后,按一定的尺寸左右反复折叠,再粘贴封面、封底的装帧形式,因其源于折叠佛教经卷,故名经折装。始于唐代,以后一些拓本碑帖、纸本奏疏亦采用这种形式,称为折子或奏折。这种装订形式从外观上看,近似于后来的册页书籍,是卷轴装向册页装过渡的中间形式[图 1-3-31]。

六、蝴蝶装

将书叶有字的叶面对折,折边朝右,形成书背,然后把折边逐叶粘连在一起,再用一张书皮包裹书背。翻阅时书叶版心居中,形同蝶翅,故名,简称"蝶装"。蝴蝶装约出现在五代后期,盛行于宋元。因中国传统书叶是单面印刷的,蝴蝶装翻阅时,时常能看到无字的背面,这是最大的缺点[图 1-3-27]。 书籍的装订形式发展到蝴蝶装,标志着我国书籍的装订形式进入了"册页装"阶段。

图 2-5-06 清包背装
《四库全书》

七、包背装

将书叶以无字的一面对折,折边朝左,余幅朝右形成书脊。再打眼,用纸捻把书叶装订成册,然后用一张书皮包裹书背的装订方式。包背装出现在南宋,元、明、清均较多使用,明代《永乐大典》、

图 2-5-07　缝缋装（发现
于敦煌）

清代《四库全书》就是这种装帧形式［图 2-5-06］。

八、线装

　　将书叶以无字的一面对折，折边朝左，余幅朝右形成书脊，加
装书皮，然后用线把书叶连书皮一起装订成册，订线露在外面。线
装大约出现在唐代［图 2-5-07］，盛行于明代中期以后。线装与包
背装在折叶上没有区别，不同之处是改整张包背纸为前后两个单
张封皮，包背改为露背。线装书籍便于阅读，又不易散破，是中国传

图 2-5-08　清线装《宋板许氏说文》

统图书中最通行的一种,因而是"中国书"的象征[图2-5-08]。

线装书相关术语:

封面:位于护叶之后、所有书叶之前。常镌刻书名、作者、刊刻时间及地点等项内容。

护叶:也称副叶,用以保护书芯或连接书衣。

书芯:指书皮以内或未上书皮以前已订在一起的书册。

书头:书籍上端切口处。

书脚:书籍下端切口处,亦称书根。

书口:与书背相对,可翻叶展阅的开口,即一叶书正中的中缝[图2-5-09]。书口印有黑线的称"黑口",粗的称"大黑口",细的为"细黑口",不印黑线的称"白口"。

书脑:书芯装订捻、线以右的部分。

书背:又称书脊。与书口相对,上下封皮相隔或连接的部分,相当于书籍的厚度。

书眼:贯穿全部书叶用以穿线的洞眼。

书角:天头和书脚右端。

书衣:俗称书皮,也称封皮。

书签:一般贴在书衣或书套正面左上方用以题写书名的签条。

图2-5-09 书口彩绘(《世说新语》,明凌瀛初刻四色套印本)

第六章　辨别鉴赏

雕版、活字、套色三种印刷术在中国古代长期并存。套色印刷虽然自身较难区别是单版复色还是分版复色印刷，但与普通雕版印刷、活字印刷的区别是明显的，因为单色与多色凭借目测就可辨识。相比之下，雕版印刷与活字印刷一般为单色印刷，二者就不易区别开。与雕版印本相比，活字印本生产工艺复杂，且其自身又处于不断变化之中，因而鉴别难度较大，不易掌握。

若要将雕版印本与活字印本完全区别开来，需要借助印刷用具实物、印刷品原件与相关文字记载等三方面材料，但回望历史上每一次活字印刷实践活动，三项材料俱全的目前仅知有翟氏泥活字一种，能两项并存已属凤毛麟角，最多见的是一项独存，如另有只言片语简单述及则已算较幸运的。由于材料不全，在印刷史上有不少问题至今没有取得统一的认识。有些以特殊方法印刷的文献至今没有定论，如前文所举徐氏磁版印本《周易说略》[图1-4-12]，究竟是活版还是整版，学术界仍是争议不休。又如浙江温州白象塔内出土北宋印本《佛说观无量寿佛经》[图1-3-28]，经文按回旋形排列。钱存训、潘吉星等学者认为此经具有活字版特征，如字体长短大小不等，经文出现漏字，墨色浓淡不匀，句中出现"○"符号，在回旋处字形有颠倒现象，如图左上方"杂色金刚"之"色"为倒字。又据同处发现的宋崇宁二年（1103）墨书《写经缘起》残页，推定此经是同年或相近年代所印。这仅距毕昇发明活字的宋庆历年间约50年，且出土地点距毕昇活动的杭州也很近，于是有学者又大胆猜测，以为此经直接是用毕昇制作的泥活字所印，也并非没有可能。如果此说成立，则这部残经就是世界现存最早的泥活字印刷品。而张秀民先生则对认定此经为北宋活字本表示怀疑，理由主要为：一、"杂色金刚"之"色"为回文回旋转折处，与活字印刷中的倒字情况不同；二、活字当有一定尺寸规格，才易印刷。此残经文字大小不一，且有相交，所以不可能为活字。实际上，如果目测此经，使人易联想到传统庭院里鹅卵石拼花小路，其中有花鸟图案，亦有"福如东海，寿比南山"等简单文句，因而若采用毕昇发明之法，排列回旋形文字是很容易实现的。

当然，到目前为止，大多数雕版印本与活字排版印本是能够区别开的。因为如果对传统印刷术的发展脉络有所了解，再从原本入手，由内向外，借助相关资料，理性分析，小心求证，最终还是可以

图 2-6-01 《南疆绎史勘本》,清道光十年（1830）李瑶泥活字印本

逐步增强判断能力而减少失误的。现总结具体辨别经验如下：

一、版框风格

在正常状态下,雕版印本边栏衔接处不会有缝隙,因其书版边栏与文字是同时雕刻而成的一个整体。而不少活字版的边栏是以竹木条逐一围成的,故目测活字本四周边栏衔接处,多有缝隙相隔,且版心、鱼尾同行线亦有隔离迹象。如清道光十年（1830）李瑶泥活字印本《南疆绎史勘本》[图 2-6-01]就具有这些特点,几乎开卷即识为活字本。但清道光二十六年（1846）林春祺铜活字印本《音学五书》[图 1-4-15]边栏三边相接,一边不相接,这是与常见活字本不太一样之处。据元代王祯《造活字印书法》载,在摆木活字前,可先"四围作栏,右边空,候摆满盔面,右边安置界栏"。依此可以推想,林春祺可能是将上、下、右边栏预先造成一整体,待铜活字摆满后,将左边栏安置上版,造成左边角有缺口而右边角完好,虽与王祯描述预留"活边"不同方位,但原理是一样的。

当然,也有不少活字印本边栏并无缝隙,如明弘治十五年（1502）华珵铜活字印本《渭南文集》[图 2-6-02]。不但边角完全衔接,且上、下栏较整齐,只是鱼尾时有时无,栏外有墨迹。据宋代沈括《梦溪笔谈》记载毕昇所造活版,"欲印则以一铁范置铁板上,乃密布字印,满铁范为一板"。这种"铁范"当为一个整体,华珵所

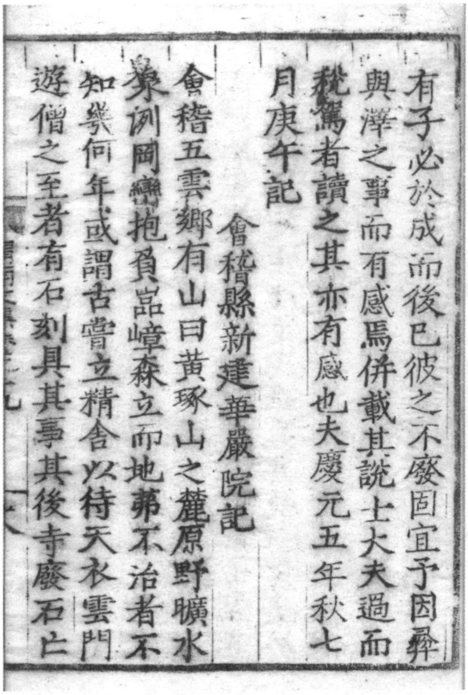
有子必於成而後已彼之不廢固宜予因彝
與澤之事而有感焉併載其説士大夫過而
税駕者讀之其亦有感也夫慶元五年秋七
月庚午記
會稽縣新建華嚴院記
會稽五雲鄉有山曰黃琢山之麓原野曠水
衆洌岡巒抱負嵓嶂森立而地弟不治者不
知幾何年或謂古嘗立精舍以待天衣雲門
遊僧之至者有石刻具其事其後寺廢石亡

图 2-6-02 《渭南文集》，明弘治十五年（1502）华珵铜活字印本

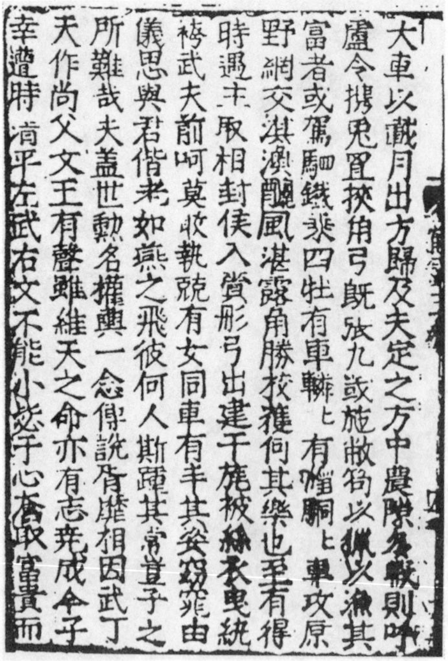
大車以轍月出方歸及夫定之方中農隙多暇則畋
盧令攜兔置挾角弓既張九斂施敝芻以獵以漁其
富者或駕駟鐵裴四牡有車轔ㄅ有馬駉ㄅ車攻原
野網交淇澳颿風湛露角勝校獲伺其樂也至有得
時過未敢相封侯入賞彤弓出建干旄被繡衣曳紈
袴武夫前呵莫敢執贶有女同車有美其姿窈窕由
儀思與君偕老如燕之飛彼何人斯蹈其常豈予之
所難哉夫蓋世勳名權輿一念傳說胥靡相因武丁
天作尚父文王有聲雖維天之命亦有志竟成今子
幸遭時清平左武右文不能小忍于心而取富貴而

图 2-6-03 《鹤林玉露》，明活字印本

用可能是相类似的金属“字范”，因金属不易上墨，故版面不洁净。而若为雕版，其边栏会下齐而上不齐，因木有缩涨，难以划一。又如清乾隆武英殿活字印本《武英殿聚珍版程式》[图 1-4-14]，今称“内聚珍”本，其边栏亦无缺口。据承办者金简撰文记载，“内聚珍”本的刷印基本程序为：先用刻有版框、行格的“套格版”刷印成格纸，然后将摆入“槽版”的活字套印在格纸上。由于其边栏是雕刻整版刷印，故边栏的衔接处不会像普通活字本那样有缝隙。乾隆年间，尝颁发武英殿聚珍版诸书于东南各省，并准所在锓木通行。各地所刻，人们通称为“外聚珍”本。由于福建、江西等地“外聚珍”本为直接翻刻“内聚珍”本，因而版框尺寸与文字风格非常相近。但“内聚珍”本的正文是用活字摆印的，即使边栏有断口，文字部分不会相连断裂，这是有别于“外聚珍”本及其他刻本的显著特征；“内聚珍”本的“套格版”是多次重复使用的，在一部书中，时常会出现正文虽不同而边栏残损状况相同的书页，查找这类有相同残损“标记”的书页，是比较简易而又可靠的鉴定方法；“内聚珍”本的边栏、文字是两次刷印而成的，故后刷印的文字有时会压在先刷印好的边栏上，这是“外聚珍”本及其他一次刷印而成的版本不可能有的现象，故书中出现的压栏字，可视为确定“内聚珍”本的重要依据。由于金简写成《武英殿聚珍版程式》一书，全面记述武英殿制作木活字、排版、印刷的工艺流程，因而推动了清代木活字印刷术的广泛应用，如清光绪二年（1876）北京聚珍堂活字印本《红楼梦》[图 2-3-03]边栏无缝隙，且有压栏字，应该是仿“内聚珍”本印制的。

二、文字特征

活字本是用单个字排列拼版再刷印而成的，

因而字与字之间的笔划不会交叉，这是与雕版印本较明显的差别之一。如果造字不精致，或遇水缩涨变形，使活字宽窄大小不等，凹凸不平，目测所印之本，文字会倾斜歪扭而不垂直，墨色亦或深或淡而不均匀，如清光绪二年（1876）北京聚珍堂活字印本《红楼梦》［图2-3-03］就是如此。如果排字工粗心，又会造成个别字的倒置或横排，如明活字印本《鹤林玉露》［图2-6-03］卷三第四叶"馺"就为倒置之字。若刷印时活字移动，就会造成单字重影现象，如明弘治十五年（1502）华珵铜活字印本《渭南文集》［图2-6-02］卷十九第十八叶"泉"字重影。

　　为了减少造字数量，也为了避免大、小字混排的技术困难，有时活字本的正文与注文采用大小一致的字体，如明弘治三年（1490）华燧会通馆铜活字印本《会通馆印正宋诸臣奏议》［图1-4-08］正文与注文仅用"○"相隔，无字体之别。而雕版印本常见

图2-6-04 《钦定古今图书集成》，清雍正四年（1726）内府铜活字印本

的情形是正文大字单行，注文小字双行。即使是同样大小的字体，为了避免过多造重复之字，不少活字本上用一些重叠符号来代替紧邻的相同之字。如明活字印本《鹤林玉露》以"ヒ"代重字，而明五云溪馆活字印本《玉台新咏》以"〈"代重字，作用相当于现在手写所用"々"符号。

雕版印本若校出错字，可以在版上挖改重印，而活字本若发现有错，则有可能重排另印，如清乾隆时萃文书屋所印《红楼梦》就有"程甲本"与"程乙本"之别。但有时也会直接在印成的纸上贴补纠正。据沈津先生著《美国哈佛大学哈佛燕京图书馆中文善本书志》载，哈佛所藏明弘治华燧会通馆铜活字印本《会通馆校正宋诸臣奏议》，"错字俱挖去，并有贴补，或以笔填入，或以活字钤上"。说明活字本起初就是以这种方式校改的。南京图书馆藏清雍正四年（1726）内府铜活字印本《钦定古今图书集成》[图 2-6-04]第十六行第十三字"者"字也是用原铜活字钤盖另纸贴补的。又据裴芹先生著《〈古今图书集成〉研究》中载，辛德勇先生收得一册此书零本，"其中颇有挖去重补字迹，俱用原铜活字钤盖"，且徐州图书馆所藏本亦存在此现象。《钦定古今图书集成》其后又印过数次，其中清光绪十六年（1890），光绪帝命上海同文书局照铜活字本原式石印 100 部，尺寸、装帧与铜活字原本相近，若寻找出贴补钤盖之字，自然能将铜活字原印本与石印本区别开来。

同雕版印本一样，活字本中时常会出现避讳字，可以将其视为推断活字本排印时代的参考依据之一。如清活字印本《万历野获编》[图 2-6-05]，其中"康熙庚辰八月桐乡钱枋识"，乃全书出现的最晚年代。但目测此本，"萬曆"均作"萬厤"，"厤"为"歷"、"曆"古字，据有关学者研究，清避乾隆讳，"曆"字或改为"歷"，或依古字作"厤"；又此本"弘治"作"宏治"，而成化、

图 2-6-05 《万历野获编》，清活字印本

弘治连写作"成宏",亦避乾隆讳。当然,书中也偶尔出现"弘"字,从避讳字看,可能此套活字造于乾隆前,而排印于乾隆后。

三、原本记述

至目前为止,如果凭借对原本"观风望气",仅能帮助辨别特征明显的活字印本,若要了解更多的细节,活字原印本中所出现的记述性文字就是较为重要的参考资料。

在活字印本的牌记、题记、书名页上,有时会简要说明所用活字的品种。如清道光十年(1830)李瑶泥活字印本《南疆绎史勘本》[图 2-6-01]有篆文牌记两行:"七宝转轮藏定本,仿宋胶泥版印法";清康熙二十五年(1686)吹藜阁铜活字印本《文苑英华律赋选》[图 2-6-06]卷四末行下题:"吹藜阁同板","同"即"铜"的简写。寥寥数语,却是著录各本活字制造材料最主要的依据之一。

在活字印本首尾的序跋、识语中,时常对造字或排印过程进行描述。如清光绪六年(1880)葛苇棠等活字印本《蟠室老人文集》[图 2-6-07],目录后有葛苇棠识语称:"此书犹得于残编断简中……岁庚辰,族修宗谱,棠等虑乎愈久而愈散佚也,爰集众子姓商

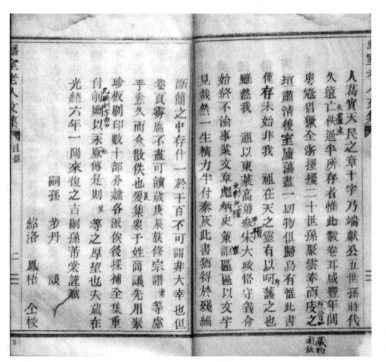

图 2-6-07 《蟠室老人文集》,清光绪六年(1880)葛苇棠等活字印本

图 2-6-08 《养一斋文集》，清道光
二十四年（1844）席氏刻本

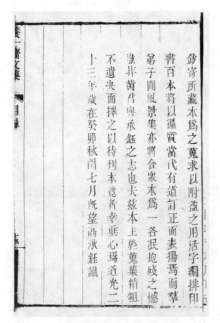

图 2-6-09 《养一斋文集》，清道光
二十三年（1843）维风堂活字印本

议，先用聚珍板刷印数十部，分隶各派，俟后采补全集，重付剞劂，以永厥传，是则棠等之厚望也。"此处介绍了排印文集的目的、数量、分藏情况，也流露出当时人们轻活字本而重刻本的心态，这正是中国传统活字印本一直不能占统治地位的一个重要原因。但有些书中的序跋、识语也会起"误导"作用。如上海古籍出版社影印出版的《续修四库全书》中，收录清李兆洛撰《养一斋文集》，版本说明称"据山东省图书馆藏清道光二十三年活字印二十四年增修本影印"。南京图书馆藏有与底本同版之印本［图 2-6-08］，经目测，虽然书中有数篇识语、跋文提到"活字"、"活版"、"排字刷印"等，但全书时有断版，又书中年代最晚的道光二十四年（1844）夏张式撰"后跋"云："申耆先生既捐宾客之三年，其友高君式之蒐辑遗文用活字板印行。……时虞山人知慰望至求曩所印《养一斋集》不得。席君幼宰至毘陵购得之，并得高君校本，归而镂诸板。"由此可知，影印本之底本为席氏翻刻高氏活字印本。今国家图书馆藏有清道光二十三年（1843）维风堂活字印本《养一斋文集》［图 2-6-09］，其活字本特征明显，如鱼尾与边栏间有缝隙间隔，且书名页题"维风堂聚珍板"。经查考，此本当与席氏翻刻所据之本为同版活字印本。

另外，在少数活字印本中，收录有记载印刷工艺甚详的专文甚至专著，已成为我国活字印刷史上的重要文献。如吕抚著《精订纲鉴二十一史通俗衍义》［图 1-4-13］，书中附有图文详细介绍印刷工艺流程。

四、图录书影

自摄影、扫描、静电复印等技术问世以来，一些珍籍秘本通过复制影印，化身千百，使学者们即使无法目测原本真貌，也有图录书影可参阅。

如《中国版刻图录》、《印刷之光》、《中国国家图书馆古籍珍品图录》等古籍版本图录之专书,所收历代各类印本摄影图片,均为传世之作中有代表性者;而《四部丛刊》、《四库全书存目丛书》、《续修四库全书》、《四库禁燬书丛刊》、《四库未收书辑刊》等大型影印本丛书,所录完整著作也不少,对于鉴定各馆所藏缺叶少卷或丛编零种之本,都有很大的参考价值。当然,也可以利用原印本来纠正影印本的著录失误。例如,经比较,南京图书馆所藏《养一斋文集》[图 2-6-08] 与《续修四库全书》所录之底本同版,而影印本由于比原印本缩小许多,断版并不易看清,可借助原印本对其为整版而非活版之性质加以确认。

五、书目著录

书目在我国有着悠久的历史,自印刷术产生之后,不少书目对图书版本进行描述。明清两代的部分书目今分别汇为《明代书目题跋丛刊》、《清人书目题跋丛刊》影印出版,而《增订四库简明目录标注》、《贩书偶记》及《续编》、《藏园群书经眼录》等近现代重要书目已整理排印出版。新中国成立后,《中国丛书综录》、《中国地方志联合目录》、《全国中医图书联合目录》、《中国家谱综合目录》等专题性全国联合书目陆续出版。二十世纪末,又出齐了《中国古籍善本书目》这一综合性全国联合书目。另外,一些古籍收藏机构自编馆藏书目也不断问世,如《北京图书馆善本书目》、《北京大学图书馆藏古籍善本书目》、《中国科学院图书馆藏中文古籍善本书目》、《上海图书馆藏家谱提要》等,均为鉴别版本不可缺少的参考工具书。如据《中国丛书综录》载,《武英殿聚珍版书》"内聚珍"本共计 138 种(其中 4 种为刻本),而"外聚珍"本最多的可达 148 种,鉴别时,只要查看子目,可直接将《河溯访古记》等 10 种只标外省名而未标"殿本"者,排除在"内聚珍"本之外。

六、文献记载

由于活字本印制方式特别,又由于首次记录毕昇发明"活版"的沈括是"中国历史上兴趣最广博的思想家之一"(李约瑟语),其著作《梦溪笔谈》自问世起关注者一直不乏其人,以至于影响人们对活字印刷术也颇为留意,文献记载从宋至清则历代皆有,连绵不绝。如南宋周必大著《庐陵周益国文忠公集》称以"胶泥铜版"印自著《玉堂杂记》;元姚燧(1238—1313)《牧庵集》载姚枢教学生杨古用"沈氏活版"刷印了《小学》等书。明陆深著《俨山外集》中有"近时毗陵人用铜、铅为活字"之语。这些文献记载的活字与活字印本虽无一存世,但依据这些材料可大致理清活字印刷术的演进历程,对鉴别现存活字印本很有帮助。

另外,也有一些记载活字印刷术的文献与现存活字印本密切相关。如清康熙五十八年(1719)徐志定真合斋磁版印本《周易说略》[图1-4-12],书名页横书"泰山磁版"四字,目测此本墨色不均,周边有缝隙,鱼尾离开边栏,活字本特征明显,但书内又有断裂之痕,与整版雕刻相似,且徐氏在序文中说:"戊戌(康熙五十七年,1718)冬,偶创磁刊,坚致胜木。"故此"磁版"是活版还是整版,一直争议不休。后来发现清金埴(1663—1740)《巾箱说》载:"康熙五十六七年间,泰安州有士人,忘其姓名,能锻泥成字,为活字版。"许多印刷史著作中都认定"泰安州有士人"所指为徐志定。其实,在古代中国已产生了活字与整版相结合的印刷工艺。首先是王祯在《造活字印书法》中就介绍过:"又以泥为盔界行,内用薄泥将烧熟瓦字排之,再入窑内烧为一段,亦可为活字板印之。"这是用火将活字与薄泥烧成一整版再刷印,此时如出现裂痕不是很正常吗?另外,前文介绍吕抚也是用活字造整版来印刷的。而我们才告别不久的所谓铅活字,在纸型发明后,铅活字主要是用来制成纸型浇铸铅版再印刷,只有小印量的时候才直接用活字排成的版来印刷。而从纸型到铅版均已是整版了。应该说,只要在印刷工艺的其中一个环节用到活字,就可以算活字印刷术。如果《周易说略》亦为此类活字版,有断裂则不足为怪。

总之,到目前为止,在雕版印刷与活字印刷的辨别上还存在许多未解决问题,有待于进一步研究和探索。

附　编
扬州与中国传统印刷术

　　扬州是我国著名的商业都市和文化古城，有二千多年的建城史。扬州传统印刷术，以雕版印刷为主，兴盛于唐，延续于宋、元、明，发展于清至民国，复兴于当代。在各个历史时期，都有着众多技艺高超的能工巧匠云集扬州，他们薪火相传，世代以刻书为业，书写工整，镌刻秀丽，选纸、用墨、装帧精良考究，生产出的图书精美而能传之久远，为古城的文化繁荣做出了极大的贡献。同时，文献中最早明确记载出现雕版印刷术的地区有扬州，另据日本学者研究，唐代的鉴真和尚将雕版印刷术带至东瀛，因此扬州很可能是中国印刷术起源和向海外传播的地区之一。宋代沈括的《梦溪笔谈》在人类历史上第一次记载了活字印刷术，而《梦溪笔谈》最早刻本是在扬州刻印的，使扬州成为最早将活字印刷术向四方扩散的地区。清代扬州多版套色印刷年画精美出色，在中国套色印刷史上谱写了绚丽的篇章。时至今日，广陵书社秉承古城丰厚的文化积淀，珍藏有近30万片古籍版片，同时更以保存全套雕版、活字、套色等中国传统印刷工艺流程，蜚声海内外，为扬州的印刷事业增添了更为丰富的内涵。扬州的传统印刷术由古及今，绵延不绝，在中国乃至世界印刷史上都发挥过非常重要的作用。

第一章　兴盛时期（唐至五代）

　　据史书记载，唐代的长安是当时的政治中心，扬州则是经济中心。扬州作为经济都会，渊源很早。隋炀帝非常向往扬州，他所开凿的运河共有四条，分别是永济渠、通济渠、邗沟和江南河，其中后三条与长江配合，促进了扬州的繁荣。扬州的雕版印刷术就是在这样的背景下发展起来的。

　　唐代诗人元稹为白居易《白氏长庆集》作序：“《白氏长庆集》者，太原人白居易之所作……二十年间禁省观寺，邮候墙壁之上无不书，王公妾妇，牛童马走之口无不道。至于缮写模勒，炫卖于市井或持之以交酒茗者，处处皆是。”元稹在此作注：“杨（扬）越间多

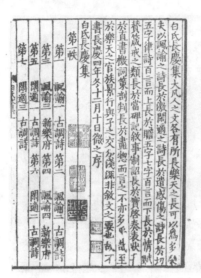

图 3-1-01 元稹《白氏长庆集》序残叶，影印宋刻本

图 3-1-02 《册府元龟》，影印明刻本

作书模勒乐天及余杂诗，卖于市肆之中也。"［图 3-1-01］"模勒"二字，一般即解释为雕版印刷。此文说明唐代扬州民间雕版印刷术已呈现兴盛景象。另外，这一序言是目前所知的最早载明确切日期的印刷史料。世界上现存最早有确切刻印时间的雕版印刷品是唐咸通九年（868）《金刚经》，元稹的记载为公元 825 年初，使印刷史上所知的确切日期可向前推四十三年。

宋代《册府元龟》卷一百六十载："（大和）九年十二月丁丑，东川节度使冯宿奏：准敕，禁断印历日版。剑南两川及淮南道皆以版印历日鬻于市。每岁司天台未奏颁下新历，其印历已满天下，有乖敬授之道。故命禁之。"［图 3-1-02］此时为公元 836 年初，当时淮南道的治所在扬州，说明唐代扬州地区已大量印刷历书。

另外，日本天平宝字八年（764）至神护景云四年（770）刊印了百万塔《陀罗尼经咒》。日本学者秃氏祐祥认为，此次刊印经咒活动，是依据公元754年东渡日本的唐朝鉴真大和尚及其一行传授的印刷术实现的。如果此说成立，扬州出现印刷术的时间可上推到八世纪。

从以上的材料来看，扬州很可能是中国印刷术的起源地之一，也很可能是最早将印刷术传播到海外去的地区。

宋代王明清《挥麈录》云：“《大业幸江都记》自有十二卷……明清家有之，永平时扬州印本也。”永平为五代初期前蜀年号，为公元911—915年。从此记载看，五代也不乏书籍出版。

第二章　延续时期（宋元明）

宋代是我国雕版印刷勃兴的时代，但由于扬州地处南北交汇之地，从唐末至宋初，尤其是宋室南渡后，这里成为南北军事对峙的前沿，屡遭兵祸，缺乏刻版印书所需的社会环境，所以宋代扬州的雕版印刷业未能兴盛。但可知的扬州地区刻书尚有十余种［图3-2-01］，说明扬州刻书之脉未曾断绝。

《梦溪笔谈》这部划时代的伟大著作最早刻本即是扬州州学教授汤修年在南宋乾道二年（1166）主持刻印的，它成为该书此后

图3-2-01　《史记集解》，宋绍兴淮南路转运使司刻本

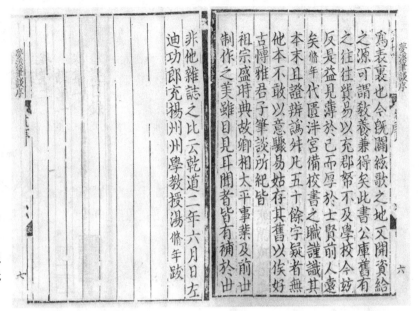

图 3-2-02　《古迂陈氏家藏梦溪笔谈》，影印元大德九年（1305）刻本

各种刊本的祖本［图 3-2-02］。

　　有关毕昇发明的活字版技术，从目前已知的材料看，只有沈括在《梦溪笔谈》一书中，作了较详细的记载。在活字印刷术发明后900多年的历史中，由于种种原因，很长时期在中国一直处于尝试阶段，而雕版印刷术则牢固占据着统治地位。但沈括此项记载的历史作用则不可磨灭，这不仅是因其为活字印刷的最早记录，更重要的是此记载对活字版技术的发展，起了很大的推动作用。它启发了后来的有志者，沿着毕昇的道路继续前进，从而使这一技术不断地发展和完善，最终成为占世界统治地位的印刷方式。因而可以说扬州是最早将活字印刷术向四方传播的地区。

　　元代经济文化尚未恢复，元末战事又起，扬州刻书业仅有零星延续［图 3-2-03］。明代的扬州，随着经济与文化的逐渐复苏，雕版印刷业渐兴，至明代中、后期，官、私刻书业都有较大的发展［图 3-2-04］［图 3-2-05］［图 3-2-06］，书坊刻书也有传本。扬州博物馆藏《孝经》，是明江都盛仪之妻郭淑洁墓的随葬品。据考古学家推测，此书为明嘉靖间坊间所刊行，是墓主生前的读本［图 3-2-07］。

图 3-2-03 《石田先生文集》，元扬州路儒学刻本

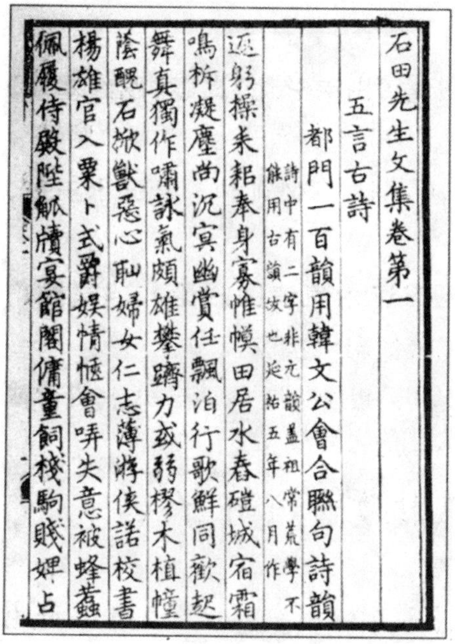
石田先生文集卷第一
五言古詩
都門一百韻用韓文公會合聯句詩韻
詩中有二字非元韻蓋祖常荒學不能用古韻故也延祐五年八月作
遠躬操耒耜奉身寡帷幔田居水舂碓城宿霜
鳴柝凝塵尚沉冥幽賞任飄泊行歌鮮同歡起
舞真獨作嘯詠氣頗雄攀躋力或弱樛木植幢
蔭醜石敝獸惡心恥婦女仁志薄游俠諾校書
揚雄官入粟卜式爵娛情愜會晤失意被蜂蠆
佩履侍殿陛觚牘宴館閣僮童飼棧駒賤婢占

图 3-2-04 《吕氏春秋》，明万历七年（1579）虞德烨维扬资政左室刻本

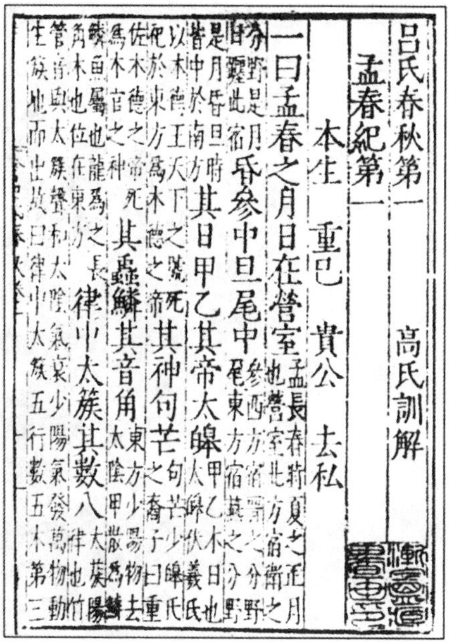
呂氏春秋第一　高氏訓解
孟春紀第一
本生　重己　貴公　去私
一曰孟春之月日在營室昏參中旦尾中其日甲乙其帝太皞其神句芒其蟲鱗其音角律中太蔟其數八

图 3-2-05 《张文潜文集》，明嘉靖三年（1524）江都郝梁万玉堂刻本

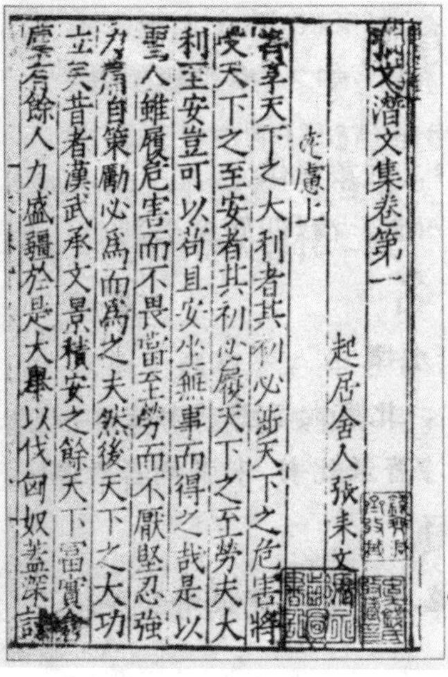
張文潛文集卷第一
起居舍人張耒文潛
進慮上
昔享天下之大利者其利必涉天下之危害將
受天下之至安者其初必履天下之至勞夫大
利至安豈可以苟且安坐無事而得之哉是以
聖人雖履危害而不畏當至勞而不厭堅忍強
力爲自策勵必爲而爲之夫然後天下之大功
立矣昔者漢武承文景積安之餘天下富實倉
廩有餘人力盛彊於是大舉以伐匈奴蓋深計

图 3-2-06 《媚幽阁文娱》，明崇祯三年（1630）郑氏刻本

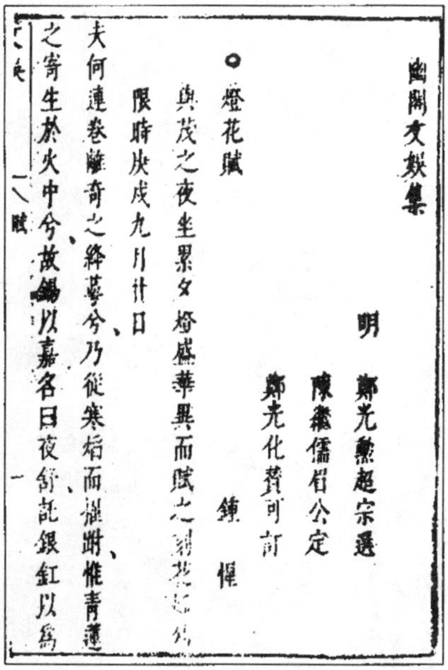
媚幽閣文娛集
明　鄭元勳超宗選
陳繼儒眉公定
鄭元化贊可訂
鍾惺
○燈花賦
奥茂之夜坐累夕燈燄華異而賦之
限時炎戌九月廿日
夫何連卷離奇之絳萼兮乃從寒焰而擢蚪惟青蓮
之寄生於火中兮故錫以嘉名曰夜舒記銀釭以為

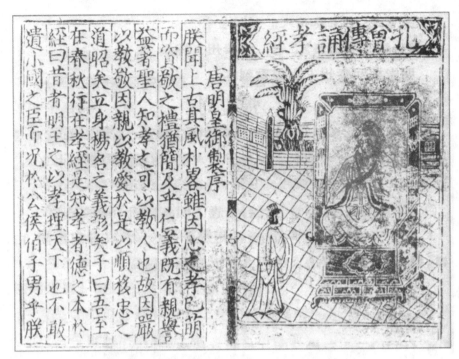

图 3-2-07 《孝经》，明嘉靖间坊刻本

第三章　发展时期（清代至民国）

清代扬州刻书之风已遍及郡城州县，官刻、坊刻、家刻林立，刻工遍布全国，刻书业空前繁荣，其数量之多，规模之大，质量之高，卓然于历朝。扬州诗局的创建，奠定了扬州跃居中国刻书名区之列的基础。

一、清代扬州官刻

图 3-3-01 《全唐诗》，
清康熙扬州诗局刻本

清代扬州官刻规模之大，种类之多，远胜前代。扬州诗局、扬州书局、淮南书局的先后建立及其辉煌业绩，对扬州的雕版印刷业起到了巨大的激励、推动作用。

康熙四十四年（1705），江宁织造兼巡视两淮盐漕监察御史曹寅奉康熙皇帝之命，在扬州天宁寺创办以编校刊印清廷内府书籍为主的出版机构。这一机构是为刻印"钦定"《全唐诗》而设，故称"扬州诗局"。全书从缮写、雕刻到印刷装帧无不尽善尽美。康熙皇帝看到进呈样本后，朱批："刻的书甚好！"《全唐诗》的刊刻，标志着扬州雕版印刷进入辉煌时期［图 3-3-01］。曹寅还刊刻了《曹楝

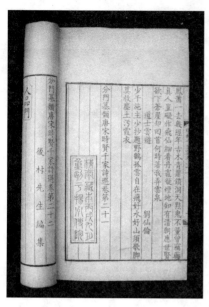

亭五种》、《棟亭藏书十二种》等书，其刻印之精、装帧之美，可与《全唐诗》相媲美[图3-3-02]。

据潘天祯先生考证，可能在康熙四十六年《全唐诗》刻成之后，"扬州诗局"改名"扬州书局"，刻印书籍延续至雍正年间。真正建立扬州书局刻书，是嘉庆年间的事。嘉庆十三年至十九年（1808—1814），扬州书局奉旨编定《全唐文》，由主持两淮盐政的阿克当阿负责。

清同治八年（1869），两淮盐运使在扬州创设淮南书局。淮南书局从建立起，至光绪二十九年（1903）裁撤归并于金陵书局止，刻书共60余种，为弘扬历史文化，传存地方文献，做出了卓越的贡献。清光绪时，金陵、苏州、扬州、杭州、武昌官书局合刻二十四史，通称"五局合刻本"。扬州人在完成这部卷帙繁多的历史著作的刊刻中做出了重要的贡献。

图3-3-02 《棟亭藏书十二种》，清康熙扬州诗局刻本

另外扬州还有府、州、县署刻书[图3-3-03]，以及书院刻书[图3-3-04]，也很有影响。

图3-3-03 《平山堂图志》，清乾隆三十年（1765）扬州府署刻本　　图3-3-04 《铁桥志书》，清康熙四年（1665）紫阳书院刻本

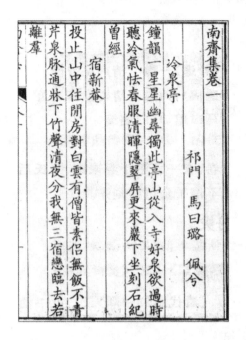

图 3-3-05 《南斋集》,清乾隆马氏刻本

图 3-3-06 《钟鼎款识》,清嘉庆七年
（1802）阮元刻本

二、清代扬州家刻

扬州清代家刻异常精美,其中不少书籍采用手写软体字写样上板。如雍正年间江都陆钟辉所刻的《笠泽丛书》、《南宋群贤诗选》,写刻字体遒劲豪健,纸墨印刷上乘,历来被藏书家视为精品。

清代扬州,一批盐商资助刻印优秀的学术书籍,其中最著名的是马氏兄弟。马曰琯、马曰璐兄弟,清安徽祁门人,定居扬州从事盐业贸易。他们不惜耗巨资续刻完朱彝尊的巨著《经义考》,还刊刻了《说文解字》、《广韵》、《字鉴》、《玉篇》诸书。因版刻质量上佳,被称为"马版",深受士人喜爱。马氏兄弟不仅善写诗文［图 3-3-05］,也是当时著名的藏书家,有"藏书甲东南"之誉。两人刊刻一批品质优良的典籍,常用的牌记是"马氏丛书楼"和"小玲珑山馆"。

清代学者阮元在经、史、算学、舆志、金石、校勘等方面都有较高的造诣和丰富的著述,他也刊刻不少书籍［图 3-3-06］。

"扬州八怪"之一的金农,既是书画名家,又是诗文好手。金农自编《冬心先生集》,雍正年间镂版于"广陵般若庵"。此集字体挺拔俊秀,刀法劲健,为镂版中上乘作品［图 3-3-07］。郑燮也为"扬州八怪"之一,他曾亲自手书上版,刻印自著《板桥集》,精美雅致。

《海国图志》是魏源在扬州为母亲守孝期间所著,旨在"师夷长技以制夷"。此书编成后,即在扬州印行。吴敬梓的讽刺小说《儒林外史》,最初仅以抄本流传。相传《儒林外史》最早的刻本也是在扬州刊刻的。

三、清代扬州坊刻

清代扬州地区书坊林立,乾隆时期书坊之多

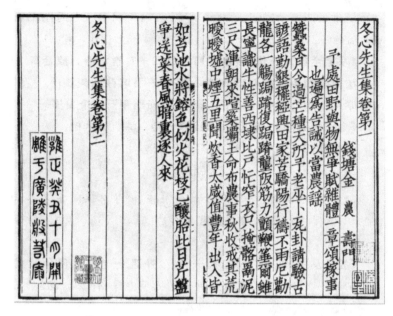

图 3-3-07 《冬心先生集》，清雍正十一年（1733）广陵般若庵刻本

堪称"星罗棋布"。书坊刻印的书籍品种繁多，包括通俗小说、唱本、说唱本、剧本，尤其是各种启蒙读物，各家竞相刊刻。虽然它们不如官刻、家刻精良，但在文化普及方面，功不可没。

图 3-3-08 《扬州画舫录》，清乾隆六十年（1795）刻本

清李斗《扬州画舫录》记载乞儿所唱《小郎儿曲》被书坊刻印的情形云："郡中剞劂匠多刻诗词戏曲为利，近日是曲翻板数十家，远及荒村僻巷之星货铺，所在皆有。"［图 3-3-08］可见当时书坊刻书传播面之广。

图 3-3-09 《五子夺魁》,清扬州刻印木版年画

　　清代扬州的木版年画远近闻名[图 3-3-09]。云蓝阁是清末民初扬州著名木版图画刻印坊家。创办人陈云蓝是清咸丰至光绪间扬州人,同治初于扬州创立"云蓝阁纸坊",主营版刻年画、图饰信笺,兼营名人字画、文房四宝,所生产的年画精美出色,广受欢迎。[图 3-3-10]

图 3-3-10 扬州云蓝阁版画

四、清代扬州刻经

　　明、清以来，特别是近代，扬州佛经刻印颇具规模，比较大的佛经刊刻机构有江北刻经处、扬州藏经院等。所刻佛教经论流通颇广，有的还远销海外。

　　江北刻经处设于江都砖桥法藏寺，为清同治五年（1866）妙空法师创办。所刻佛经，校勘认真，刻写工整，远销海内外，在国内外享有一定的声誉，被学术、宗教界称为"扬州刻本"、"砖桥刻本"。

　　扬州藏经院位于扬州城内皮市街宛虹桥西首，始建于明万历年间，为保存佛经而建。清咸丰间毁于战火。同治间重建，并设立扬州刻经处，刻印本院所藏经书，民国末年停办。所藏经版二万多块，现由扬州中国雕版印刷博物馆收藏。

五、民国时期扬州雕版印刷与"陈恒和书林"

图 3-3-11　民国陈恒和辑《扬州丛刻》

　　由于扬州地区传统文化积淀深厚，一方面有许多热爱刻书的人，另一方面雕版印刷工艺不乏传人，所以从清末至民国，扬州雕版业虽然规模和数量都不大，但官刻、家刻和坊刻都一直延续到民国后期。民国中期，陈恒和书林大力从事雕版印刷，以出类拔萃的优异业绩，被誉为扬州坊刻的后起之秀。

　　陈恒和书林创始人陈恒和（1883—1937），江都杭集（今属邗江）人。1923年在扬州创设"陈恒和书林"，并由进销书籍发展到印书发售，又由租版印书发展到刻版印书。陈恒和去世后，其子陈履恒继承父业主持书坊业务。陈氏父子两代悉心搜集乡邦文献稿本所辑刊的大型丛书《扬州丛刻》，广为世人称道［图 3-3-11］。

　　位于扬州东南郊的杭集，清代以来，这一带雕版印刷艺人众多，写工、刻工、印工、装订工技术齐全，世代相承。清末至民国，扬州雕版印刷衰微，杭集一带以此为业的匠师组班结队外出揽活，被称为"扬帮"，代表人物是著名的雕版艺人陈开良。陈开良去世后，其子陈正春继为"扬帮"领头人。

第四章　复兴时期（当代）

　　随着现代印刷技术的崛起，古老的雕版印刷渐趋式微。中华人

图 3-4-01　古籍版片

民共和国建立后，陈恒和书林以及其他书坊加入公私合营扬州古旧书店，继续从事雕版古籍的收藏、整理，并成为扬州广陵古籍刻印社的前身。1958 年，散落于扬州周边地区的刻书艺人集于扬州，从事古代版片的修补工作，并新刻了部分版片。为使这一古老的传统印刷工艺不致于湮没失传，1960 年成立了广陵古籍刻印社，承担古籍版片的征集、收藏、整理、保护等任务，并从事古籍的出版工作。"扬帮"领头人陈正春参与了刻印社的筹建。1962 年起，在国务院的协调下，苏、浙、皖一带的古籍版片约 20 余万片汇集扬州，统一进行修缮和保管。其中丛书 57 种，单行本 125 种，计 8900 多卷。文革中，这项工作被迫中断。1978 年恢复并定名为江苏广陵古籍刻印社。1999 年，广陵古籍刻印社更名为"广陵书社"。2002 年，中国国家新闻出版总署正式批准广陵书社为出版社。

经过数十年广泛收集，广陵书社收藏明清以来的各种古籍版片、佛经版片约 30 万片，其中不乏孤本、珍本［图 3-4-01］。

多年来，广陵书社已刻印出版各类古籍、线装图书累计达二千多种，包括雕版线装古籍、影印各类地方志书、大型学术资料图书、书法碑帖及艺术类图书等。其中有许多极具收藏价值与欣赏价值的古典著作和资料文献。

广陵书社保存着全套古籍雕版刷印工艺流程，从写样上版、雕版刻字到印刷装订的 20 多道工序全部采用古老的传统手工工艺，刻印的古籍选料与制作精细，款式古朴典雅。广陵书社还"复活"

图 3-4-02 《唐诗三百首》，活字印本

了古代活字印刷技术，相继推出了木、泥、铜、锡活字印本《唐诗三百首》[图 3-4-02]、《毛泽东诗词》、《孙子兵法》和《论语》等。广陵书社以饾版套色水印传统工艺影刻《北平笺谱》，为传承中国的传统套色印刷术进行了有益的尝试[图 3-4-03]。

图 3-4-03 《北平笺谱》，彩色套印本

图 3-4-04 《毛泽东评点二十四史》

　　扬州当代雕版印刷已成为中国文化的一张独特名片。江泽民主席访美时赠送给哈佛大学的《毛泽东评点二十四史》一书，就是由该社印制［图 3-4-04］。为了更好地继承和传播中国古代优秀文化传统，广陵古籍刻印社还与中华书局合作，印制了汉英对照本《论语》。另外，广陵书社的雕版技师还为日本禅文化研究所新雕刻佛经典籍［图 3-4-05］。

　　2002 年 12 月，广陵书社被正式批准为出版社后，成为一家独立的融选题、编辑、印刷、装订为一体的出版单位，迈入一个崭新的发展阶段。

图 3-4-05 广陵书社为日本禅文化研究所新雕刻的佛经典籍

　　★2005 年扬州中国雕版印刷博物馆落成后，原由广陵书社负责收藏的古籍版片及新刻版片悉交博物馆收藏。

大事年表

本表年代按公元年号排序,附以中国纪年。以印刷术的发明、发展和传播为主线,并将与印刷术有关的重大事件,按照年代顺序集录,以期对读者有所帮助。

距今 300 万年。人类语言可能开始产生。

距今 170 万年。中国约从 170 万年前的元谋猿人开始有语言。

距今约 3 万年。世界上真正意义上的美术品产生于旧石器时代晚期奥瑞纳文化期。考古发现这些美术品主要集中于法国南部和西班牙北部。

公元前 4800—前 4200 年。西安半坡出土陶器,其上有类似文字的刻符。

公元前 3500 年。居住在亚洲西部两河流域的苏美尔人,创造了世界上最早的成熟文字——"丁头字",也称"楔形字"。

公元前 3100 年。古埃及人创造了圣书字。

公元前 2600 年。成熟的哈拉巴铭文诞生,它是印度最古老的文字。

公元前 1300 年。商盘庚迁殷。现存最早甲骨文之起始,甲骨文是目前所知中国最古而较完备的文字。甲骨文中有"册"和"典"字,说明中国在此之前已产生图书。

公元前三世纪前,春秋战国。已采用型版漏印技术在织物上印花。

公元前三世纪,战国至秦。湖北云梦睡虎地出土了一块人造墨实物,这是目前发现的最古老的人造墨。

长沙的战国楚墓中,有毛笔发掘出土。为战国之前已有毛笔提供了实物证据。

公元前 170 年左右。小亚细亚佩加马城开始制作的羊皮纸,在传入欧洲后,得到大量推广。

公元前 140—前 87 年,西汉武帝时期。现在存世最早的纸大约出产于西汉武帝时期。

公元前一世纪前后,西汉。广州南越王墓出土的铜质印花凸版和印花织物，为西汉时已有多色套印的凸版印花技术提供了文物证据。长沙马王堆出土的印花敷彩纱为此提供了又一佐证。

刘歆编撰的《七略》，是我国第一部综合性图书分类目录，也是世界上最早将人类知识加以系统化的一种创举。

公元105年，东汉元兴元年。蔡伦改良造纸术，创制出便于书写的"蔡侯纸"。从此，纸得以广泛应用，并迅速传播开来。

公元169年，东汉建宁二年。《后汉书》中有"刊章捕俭"的记载。有人据此认为印刷术始于东汉。

公元220—265年，三国魏。韦诞改良制墨术，创制出质量优良的墨。制墨技术从此迅速推广，为书写、拓印和印刷提供了适宜的材料。

公元四世纪，东晋。据葛洪著《抱朴子》记载，当时已有木刻"入山佩带符"，刻有一百二十字。

公元六世纪，南北朝至隋。四部分类法定型为经、史、子、集，沿用一千五百年，至今仍为编制古典目录者采用。

敦煌、吐鲁番等地发现的数千张捺印佛像，是隋朝或隋朝以前的遗物，是由印章捺印向木刻刷印过渡的印制形式。

公元593年，隋开皇十三年。明陆深《河汾燕闲录》云："隋文帝开皇十三年十二月八日，敕废像遗经，悉令雕撰。"有人据此说印刷始于隋朝。

公元七世纪初，隋至唐初。西安唐墓出土的梵文《陀罗尼经咒》，陕西省考古鉴定为唐初印刷品。

公元636年，唐贞观十年。明邵经邦著《弘简录》记载，唐太宗于贞观十年曾下令"梓行"长孙皇后的遗作《女则》。这是现知最早文献记载的印本书籍。

公元645—664年，唐贞观十九年至麟德元年。唐玄奘从印度回国后，曾"用回锋纸印普贤菩萨像，施于四众，每岁五驮无余"。这是佛教徒应用印刷术的最早记载。

公元649年前，唐贞观年间。世界上最早的印刷纸牌叶子格出现。

公元699年前，唐武则天执政初、中期。新疆吐鲁番地区出土了带有武则天所创制字的《妙法莲华经》印本。

公元702—704年，唐长安二年至四年。韩国庆州佛国寺发现的汉文《无垢净光大陀罗尼经》，专家考证认为是中国唐朝武则天执政期间的雕版印刷品，时间在唐长安二年至四年间。系早期印本书之一。

公元 713—741 年，唐开元年间。《开元杂报》印制。这是世界上最早印制的报纸，比欧洲最早印刷报纸的时间要早九百年。

公元 762 年以后，唐宝应元年以后。唐长安（今西安）东市大刁家雕印历书，是现知最早的雕印历书。

公元 783 年，唐建中四年。市场上出现了商人的纳税凭证印纸。

公元 835 年，唐大和九年。东川节度使冯宿奏请禁止版印历日。

公元 845 年，唐会昌五年。诏毁天下寺庙四千六百处，归俗僧尼二十六万五百人。印刷之经像，多毁而无存。

公元 847—849 年，唐大中元年至三年。唐范摅《云溪友议》记载，纥干臮雕印道家烧炼书《刘弘传》数千本。纥干臮被认为是最早的私人刻书家。

公元 861 年前，唐咸通二年前。最早的印本医书《新集备急灸经》雕版印刷。

公元 868 年，唐咸通九年。《金刚般若波罗蜜经》刻印，这是现存世界上最早有明确日期记载和精美扉画的印刷实物。

公元 877 年，唐乾符四年。唐乾符四年所刻历书，是现存世界上早期最完整的印本历书。

公元 932—953 年，后唐长兴三年至后周广顺三年。后唐宰相冯道等奏请刻印《九经》。这是中国"监本"之始，开辟雕印儒家经典之先河。

公元 945 年起，后晋开运二年起。曹元忠于瓜、沙州（今敦煌）雕印大批佛教画像，其中所刻《观音菩萨像》上图下文，末署"匠人雷延美"。雷延美是现知最早的刻工。

公元 950 年后，南唐保大八年后。制墨家李廷珪最早采用桐油制油烟墨。

公元 956—975 年，后周显德三年至宋开宝八年。吴越国王钱弘俶（钱俶）刻印《一切如来心秘全身舍利宝箧印陀罗尼经》84000 卷。

公元 971—983 年，北宋开宝四年至太平兴国八年。宋太祖赵匡胤命在益州（今成都）雕印大藏经，世称《开宝藏》或《宋开宝刊蜀本大藏经》。此为中国历史上大规模雕印佛经之始。

公元 983—1012 年，辽统和年间。刻印大藏经《契丹藏》。同时还彩印绢本《南无释迦牟尼佛像》，印法是春秋战国时期已出现的织物型版漏印法。

公元 990 年，辽统和八年。山西应县佛宫寺木塔内发现的辽统和八年刻本《上生经疏科文》，是现存辽代有时间记载的早期雕版印刷品。

公元 1008—1016 年，北宋大中祥符年间。经地方政府批准，由四川十几户富商主办印发"交子"。"交子"是世界上最早印刷的纸币。

公元 1023 年，北宋天圣元年。宋朝正式设"交子务"于益州，发行纸币"交子"，世称"官交子"。这是中国官方从事纸币印刷和发行之始。

公元 1041—1048 年，北宋庆历元年至八年。毕昇发明活字印刷术。

公元 1086 年，北宋元祐元年。沈括筑"梦溪园"，其后在此撰成《梦溪笔谈》，记录了毕昇发明"活版"的情况。

公元 1088 年，日本宽治二年。奈良兴福寺刻印佛教典籍《成唯识论》，是日本确有年代可考的最早的雕版印刷品。

公元 1094 年，北宋绍圣元年。据宋何薳《春渚纪闻》记载，宋京城有人喊卖用蜡版印刷的新科状元名单。此为现知最早的蜡版印刷。

公元 1103 年左右，北宋崇宁二年左右。印本《佛说观无量寿佛经》问世。现存该经印本残页，有人以为是现存最早的泥活字印刷品。

公元 1130 年，金天会八年。金朝在平阳设经籍所，刊印经籍。

公元 1140 年后，西夏大庆元年后。西夏地区可能用泥活字排印了西夏文《维摩诘所说经》等佛教书籍。这是现存世界上最早的一批活字印本。

公元 1150 年。中国造纸术经穆斯林传入欧洲，西班牙开设了欧洲第一家造纸作坊。

公元 1154 年，金贞元二年。金发行纸币"交钞"。

公元 1160—1161 年，南宋绍兴三十年至三十一年。宋绍兴三十年用铜版刷印纸币"会子"，次年置"会子务"。

公元 1180 年前。西夏地区用木活字排印了西夏文《吉祥遍至口和本续》等佛教书籍。是现存世界上最早的木活字印本。

公元 1193 年，宋绍熙四年。宋周必大用胶泥铜版，移换摹印自著的《玉堂杂记》,今佚。

公元 1234 年,高丽高宗时。崔怡用铸字印成《详定礼文》二十八本。有人认为是世界最早的使用金属活字印刷的书籍,但今未见传本。

公元 1260 年,蒙古中统元年。蒙古印发"中统交钞"。

公元 1271 年前,宋咸淳七年,元至元八年前。有人注锡作字,以铁条贯之,界行印书。因锡活字难于施墨而未能久行。

公元 1287 年,元至元二十四年。元世祖印发 "至元通行宝钞"。

公元 1294 年,元至元三十一年。建阳首创带图书名页。

公元 1298 年,元大德二年。农学家王祯,制木活字 3 万多个,设计成转轮排字架和转轮排字法,印成《旌德县志》百部,并在《农书》末刊印了他自著的《造活字印书法》。

公元 1300 年前,元大德年间前。现存回鹘文木活字产生。

公元 1322 年,元至治二年。马称德在中国奉化镂活书板 10 万字,印《大学衍义》等书。

公元 1341 年,元至正元年。中兴路(今湖北江陵)资福寺刻印《金刚般若波罗蜜经》,经文印红色,注文印黑色,卷首扉画用朱墨两色印,是现存最早的套色印本佛经。

公元 1376 年。朝鲜用木活字印《通鉴纲目》。朝鲜木活字至1895 年共造 28 次。

公元 1383 年,明洪武十六年。江苏句容县杨馒头,叫银匠用锡版刷印伪钞,其印品文理分明。杨馒头为此获罪被斩。

公元 1403 年。朝鲜李朝太宗下令铸铜活字数十万枚 (称为"癸未字")用以印书。

公元 1423 年。欧洲发现现存最早的有刊印时间的版画《圣克利斯道夫像》,刻于 1423 年。

公元 1430 年。凹版雕刻铜版画在德国诞生。

公元 1435 年。越南雕印的《四书大全》,到 1467 年又翻刻了《五经》,这样,中国书籍在越南出版了。

公元 1436 年。朝鲜以铅活字排印《通鉴纲目》,被认为是世界上最早的铅活字印刷书籍。

公元 1443 年,明正统八年。安南(今越南)黎朝梁如鹄两次奉使来中国,学习雕版印刷技术,回国后教乡人刻书。

公元 1450 年前后。德国谷登堡在欧洲研制使用铅合金铸造活字的活版印刷术,并制造木质印刷机。

公元 1490 年,明弘治三年。无锡华燧会通馆用活字铜版排印《会通馆印正宋诸臣奏议》,为国内最早的铜活字印本书。也有学者以为是锡活字印本。

公元十六世纪初。德国出现明暗套色木刻版画。

公元 1505 年左右,明弘治十八年左右。常州有人采用铜、铅活字排印书籍。

公元 1506—1521 年,明正德年间。刻印成彩色印品《圣迹图》。

公元 1561 年。英国哲学家培根(1561—1626)诞生,他将人类知识归纳为历史、诗歌和哲理,是现在西方各种图书分类法的基石。

公元 1590 年,明万历十八年。欧洲传教士在澳门用西方活字印刷拉丁文《日本派赴罗马之使节》。

公元 1593 年,明万历二十一年。福建人龚容(教名约翰·维拉)在菲律宾刻印《无极天主正教真传实录》中文本和太格罗文本。此为在菲律宾有确切证明的最早印本书。

公元 1599 年,明万历二十七年。云南丽江木增土司用银粉刷印《大乘观世音菩萨普门经》。

公元十六世纪末前后,明万历后期到清顺治初。中国古代刻书名家毛晋,刻印书籍六百多种,四部俱备,流传甚广。

公元 1626 年,明天启六年。江宁吴发祥在南京用饾版印刷术刻印了《萝轩变古笺谱》。这是现存最早的饾版、拱版印刷品之一。

公元 1644 年,明崇祯十七年。胡正言在南京用饾版、拱版刷印完成了《十竹斋笺谱》。

公元 1680 年,清康熙十九年。清政府于武英殿左右两廊设修书处,专管刻版印刷、装潢书籍。

公元 1685 年。德国人弥勒撰《中文活字》一书,并研制汉文木活字 3000 多个。此为欧洲最早较大规模造汉文活字。

公元 1718—1719 年,清康熙五十七至五十八年。用西洋凹版雕刻铜版印刷《康熙皇舆全览图》。

泰安徐志定用"泰山磁版"刷印《周易说略》和《蒿庵闲话》。有人以为是活字版,亦有人以为是整版。

公元 1726 年,清雍正四年。清内府用铜活字排印《古今图书集成》一万卷,分六编、三十二典、六千一百零九部,约 1.6 亿字。

公元 1732 年,清雍正十年。清内府用活字排印朱墨两色的《谕旨》,文用墨,批用朱,世称《朱批谕旨》。

公元 1736 年前后。浙江新昌吕抚创活字泥版印刷工艺,并用自制泥版印刷了自著《精订纲鉴二十一史通俗衍义》。书中记载泥版制作工艺甚详,为世界确知的泥版印刷之始。

公元 1772 年。朝鲜陶字印明刘寅《三略直解》。

公元 1773—1790 年,清乾隆三十八年至五十五年。清刻《满文大藏》,又称《国语大藏》。

公元 1774 年,清乾隆三十九年。武英殿刻成大小枣木活字 25 万余个,先后印成《武英殿聚珍版书》等书籍 140 余种。

公元 1783 年,清乾隆四十八年。中国自己雕刻的铜凹版《圆明园铜版画》二十幅刷印成功。

公元 1798 年。捷克剧作家塞内费尔德发明石版印刷术,利用水与油不相容原理,在平面上印刷,是为平版印刷术的开端。

公元 1807 年,清嘉庆十二年。台湾镇总兵官武隆阿刻制铜活字,印刷《圣谕广训注》。

英国传教士马礼逊来华传教,到澳门。其后雇人刻制中文活字字模铸造铅活字。

公元 1814—1819 年,清嘉庆十九年至二十四年。英国传教士马礼逊派其助手米怜和中国教徒到马六甲设立印刷所,致力于用西方铅活字印刷术制作中文活字。

公元 1815—1822 年,清嘉庆二十年至道光二年。英国印工汤姆斯在澳门雕刻字模,浇铸金属活字,印成《中国语文字典》(一作《马礼逊字典》)。这是在中国境内用西方铅活字印刷术排印中文书之始,且对中文采取自左至右横排方式,是中文横排的开始。

公元 1825—1846 年,清道光五年至二十六年。福州林春祺刻制大小铜活字 40 万余个,印刷了《音学五书》等书籍。

公元 1826 年。法国尼布斯发明照相凹版法。

公元 1831 年,清道光十一年。英传教士麦都思在澳门设立石印所印刷中文书。

公元 1832 年,清道光十二年。中国第一个石印工屈亚昂学习掌握了石印术。

公元 1833 年,清道光十三年。广州有人采用蜡版印刷《辕门钞》。

广州用木刻印刷出版了中国第一本中文期刊《东西洋考每月

统纪传》。

公元 1834 年,清道光十四年。美国教会将一份中文木刻字送往波士顿,铸成铅活字运回中国,以备印刷美国教会书刊。

公元 1838 年,清道光十八年。英国麦都思用石印术印刷的《各国消息》在广州出版发行,此为中国早期石印品。

法国巴黎皇家印刷局得木刻汉字一副,浇铸铅版,然后将铅版锯成铅活字,在中国印刷教会文件。

英国传教士台约尔创制大小两种汉字字模,于鸦片战争后在香港开局印刷。

公元 1843 年,清道光二十三年。英国传教士麦都思在上海开办墨海书馆,其后运来一些西方先进的印刷设备,出现用牛拉动机器进行印刷的奇闻。

公元 1844 年,清道光二十四年。安徽泾县翟金生与其子孙创制大、中、小、次小、最小五种泥活字十万多个,印成《泥版试印初编》、《仙屏书屋初集诗录》、《水东翟氏宗谱》等图书。

公元 1855 年。法国居禄特发明腐蚀锌凸版法。

公元 1858 年,清咸丰八年。华人伍廷芳在香港创办了中文报纸《中外新报》。这是中国历史上最早的单张式报纸,为报纸由书本式改为单张式之始。

公元 1863 年,清同治二年。曾国藩首创"金陵书局",为清各省官书局之始。

公元 1867—1871 年。德国阿尔贝特发明珂罗版印刷术,即照相平版印刷法。

公元 1872 年,清同治十一年。英国商人美查等四人合资在上海创办《申报》。后归华人自办。《申报》首先采用英人发明的泥版铸铅版工艺。

公元 1875 年,清光绪元年。上海徐家汇土山湾印刷所首用珂罗版印刷工艺,印刷《圣母》等教会图画。

公元 1881 年,清光绪七年。国人自办的"同文书局"、"拜石山房"两石印书局创立,与英人办的"点石斋印书局"成三足鼎立之势。此后各地的石印书局和工厂相继建立,石印术迅速发展、普及。

公元 1882 年,清光绪八年。曹子挥在上海集资创办了中国历史上第一家机器造纸厂"上海机器造纸厂"。

公元 1886 年。美国发明家爱迪生发明誊写孔版印刷术,后经日本人堀井新治郎改良,成为蜡纸油印术。孔版漏印术早在凸版之前为中国所发明。

公元 1888 年,清光绪十四年。王肇鋐游学日本,学会雕刻铜凹版印刷术,并于次年著《铜刻小记》。

公元 1890 年,清光绪十六年。上海修文书局首先采用纸型浇铸铅版印书,为中国应用纸型之始。

公元 1895 年,清光绪二十一年。中国历史上首家印刷机械修造厂"李涌昌机器厂"在上海创立。

公元 1897 年,清光绪二十三年。上海商务印书馆成立,打破多年来外商垄断中国印刷业的局面。

公元 1901 年,清光绪二十七年。徐家汇土山湾印刷所试制照相铜锌版获得成功。

公元 1904 年,清光绪三十年。商务印书馆出版严复著《英文汉诂》,为中国人开办出版机构第一本用新式标点符号的汉字铅印横排本书籍。书后贴有严氏"版权证",乃著作权印花在中国首次之使用。

公元 1905 年,清光绪三十一年。商务印书馆聘日本技师来华,开始凹版印刷。

公元 1906 年,清光绪三十二年。清廷颁布《大清印刷物专律》。

公元 1912—1926 年,日本大正年间。汉字打字机首创于日本。

公元 1913 年。叶兴仁在上海创办了中国历史上第一家近代油墨制造厂——上海中国油墨厂。

公元 1915 年。上海中国油墨厂生产出了彩色油墨。

公元 1919 年。商务印书馆舒震东创制中国第一部汉字打字机。

公元 1935 年。柳溥庆、陈宏阁二人研制成功中国第一台手动式汉字照相排字机。

公元 1956 年。国务院正式公布《汉字简化方案》。

公元 1974 年。中国制定了重点科技攻关项目"汉字信息处理工程"。这个课题因在 1974 年 8 月立项,因此被称为"748 工程"。

公元 1987 年。《经济日报》计算机—汉字激光照排系统接受国家级验收。《经济日报》成为世界上第一家采用计算机—激光屏幕组版、整版输出的中文日报。

公元 1996 年。中国印刷博物馆在北京落成。

公元 2005 年。扬州中国雕版印刷博物馆落成。

图版目次

主要参考文献

唐兰.中国文字学.上海:上海古籍出版社,1979

翦伯赞主编.中国史纲要.北京:人民出版社,1983

郑如斯、肖东发编著.中国书史.北京:书目文献出版社,1987

张秀民.中国印刷史.上海:上海人民出版社,1989

中国古籍善本书目编辑委员会编.中国古籍善本书目.上海:上海古籍出版社,1989—1998

中国大百科全书总编辑委员会新闻出版编辑委员会编.中国大百科全书·新闻出版.北京:中国大百科全书出版社,1990

白莉蓉撰.清吕抚活字泥板印书工艺.文献,1992(2)

吴方著.中国文化史图鉴.太原:山西教育出版社,1992

严绍璗著.汉籍在日本的流布研究.南京:江苏古籍出版社,1992

史金波撰.现存世界上最早的活字印刷品——西夏活字印本考.图家图书馆馆刊,1997(1)

张秀民、韩琦著.中国活字印刷史.北京:中国书籍出版社,1998

[美]菲利普·李·拉尔夫等著,赵丰等译.世界文明史.北京:商务印书馆,1998

黄建国等编.中国所藏高丽古籍综录.汉语大词典出版社,1998.

叶德辉著,李庆西标校.叶德辉书话.杭州:浙江人民出版社,1998

沈津著.美国哈佛大学哈佛燕京图书馆中文善本书志.上海:上海辞书出版社,1999

余德泉等著.书法通.长沙:湖南大学出版社,1999

张奠宇编著.西方版画史.杭州:中国美术学院出版社,2000

罗树宝主编.印刷之光.杭州:浙江人民美术出版社出版,2000

夏商周断代工程专家组.夏商周断代工程1996—2000年阶段成果报告(简本).北京:世界图书出版公司,2000

陈先行等编.中国古籍稿抄本图录.上海:上海书店,2000

李致忠.古代版印通论.北京:紫禁城出版社,2000(中国考古文物通论丛书)

[英]赫·乔·韦尔斯著,吴文藻等译.世界史纲.桂林:广西师范大学出版社,2001

齐涛主编.中国通史教程.济南:山东大学出版社,2001

肖东发著.中国图书出版印刷史论.北京:北京大学出版社,2001

［法］布鲁诺著,余中先译.满满的书页——书的历史.上海:上海书店,2002

潘天祯著.潘天祯文集.上海:上海科学技术文献出版社,2002（芸香阁丛书）

周有光.世界文字发展史.上海:上海教育出版社,2003

覃代锡、陈晓红著.失落的文明:古印度.上海:华东师范大学出版社,2003

陈晓红、毛锐著.失落的文明:巴比伦.上海:华东师范大学出版社,2003

王澄编著.扬州刻书考.扬州:广陵书社,2003

窦学奎."镌金印刷"之我见.广东印刷,2003（2）

方彦寿著.建阳刻书史.北京:中国社会出版社,2003（新经典学者丛书）

胡宏亮编著.西洋文字书籍与复制术的演进.大中华印艺网（电子版）

张显成.简帛文献学通论.北京:中华书局,2004

黑崎彰等著.世界版画史.北京:人民美术出版社,2004

［英］巴恩著,郭小陵、叶梅斌译.剑桥插图史前艺术史.济南:山东画报出版社,2004

汤惠生著.寻找中国最早的美术——旧石器时代岩画的确认与重估.美术,2004（4）

张树栋、庞多益、郑如斯等著.简明中华印刷通史.桂林:广西师范大学出版社,2004

白寿彝总主编.中国通史（修订本）.上海:上海人民出版社,2004

钱存训著,郑如斯编订.中国纸和印刷文化史.桂林:广西师范大学出版社,2004

周祥编著.纸币.上海:上海书店,2004

陈妙英.我国金属活字发明的历史史证及技术条件.广东印刷,2005（1）

［法］弗雷德里克·巴比耶著,刘阳等译.书籍的历史.桂林:广西师范大学出版社,2005

陈正宏、梁颖编.古籍印本鉴定概说.上海:上海辞书出版社,2005

肖东发、杨虎著.插图本中国图书史.桂林:广西师范大学出版社,2005

丁文隽著.书法通论.人民美术出版社,2005

宫竹正著.浮世绘的故事.陕西师范大学出版社,2005